読むだけで「いい女」になれる36の教養

色気は知性

いい女.bot

サンマーク出版

外見の美しさは、２番目でいい。

これは、人を惹《ひ》きつけ、大切にされる魅力である〝色気〟がある女性の条件を聞かれたときに、私がいつも答えている言葉です。

人を惹きつける色気に必要なのは、美しさではありません。
必要なのは、内に秘めた〝知性〟なのです。

知性を持った女性は、懐が深く、媚《こ》びず、安心感を覚えさせます。
しかも知性は、一生磨きつづけられるのです。
これは、生まれつきの美人を超えることができる唯一のツールです。

私は「いい女．ｂｏｔ」というペンネームで9年間、
ツイッターで28万人のフォロワーに言葉を届け、10冊以上の本を書きました。
さまざまなメッセージを伝えてきましたが、
その源泉になっていることこそが、本書でお伝えする知性であり、教養です。

知性は教養を身につけることで磨かれます。

さあ、安心して一歩を踏み出してください。
読むだけで、永く大切にされる「いい女」の入り口に、
あなたはもう立っているのですから。

色気は知性●目次

2時間目 ワイン

飲まなくてもワンランク上になれる教養

3時間目　クラシック音楽　聴くだけで磨かれる教養

4時間目　西洋絵画 ―― 失われない価値の教養

5時間目

文学

苦悩と色香に惑う教養

ブックデザイン・イラスト・図版　藤塚尚子（e to kumi）
編集協力　株式会社ぷれす
DTP　朝日メディアインターナショナル
写真　アフロ（P179、181、187 © 2021 - Succession Pablo Picasso - BCF(JAPAN)）
編集　尾澤佑紀（サンマーク出版）

ガイダンス

永く愛され、感動できる人生を歩むには

guidance

教養は人生を充実させ、永く愛される人になれるきっかけになる

私が思う「素敵な女性」は、いつも新しいことを学んで、すぐに実行・体験している人です。**何歳になっても、新しい物事に積極的に取り組んでいる人は、多くの人から、そして自分の大切な人から、永く愛されているのです。**

2020年から続くコロナ禍で、今までの生活がガラッと変わったとき、友人関係や大切な場所についてあらためて思いをはせ、気持ちを明確にできた人も多いと思います。私もそのひとりです。

そんな今だからこそ、教養の扉を開けてみませんか？

多くの人から関心を持たれて大切に守られてきた作品たちには、必ず理由があります。

ワイン、音楽、絵画、文学など、どんな教養にも作者がいますし、それを後世に残そうと尽力してきた人たちがいます。それらは作者自身が没頭し、周りの人が感動して後世に伝え、現代まで繋《つな》いできました。

教養とは、戦争やパンデミック、経済の打撃など、多くの荒波を越えて洗練されてきたもの。多くのものが生まれ、消えていく世の中で、長い年月にわたって受け継がれ、今も次世代に受け継ぎたいと思っている人が多くいる分野なのです。

今まで通り生きることすら難しいコロナ禍を迎えて、困難な時代を乗り越えてきた数々の教養は、より一層私たちが内面から磨かれるために必要になります。

私たちの時間は有限です。ゲームをしたり、テレビを見たり、ＳＮＳに夢中になったりするのもいいけれど、一度きりの人生、自分を磨いて、充実した人生を歩みたいと思いませんか。毎日を色濃く生きていくこと、そしてそんな選択をしていこうと思うこと自体が、素晴らしいことではないでしょうか。

教養は女性が内面から輝けて、生活の充実感も得られ、癒やしにもなる。そして何より、一生深めていけるものなのです。

内面からの魅力＝色気を手に入れるためには欠かせません。

「教養を勉強してみたい」と思ってはいるけれど、きっかけがなかったり、日々の生活と乖離《かいり》しすぎたりしていて、学びの一歩を踏み出せない人もいるかもしれません。知らないというだけでハードルは上がってしまいますが、本書では、誰もが一度は触れたことがある教養の題材だけを扱っています。

一歩踏み込めば、そこには無数の面白い世界が広がっています。ひとつひとつ、教養のピースを摑《つか》んでいけば、大きなパズルが少しずつ埋まっていく快感を味わえるでしょう。

guidance

受け取った知識のスケールが女性としての大きさも決める

私はこれまでに何冊もの本を書いてきました。でも、元々学力も低く、地頭も良くなくて、学生時代は自分の無能さに悩んでいました。周りの子はみんな頭が良くて、「自分には秀でているものがない」と悩む学生時代を過ごしました。

大人になれば、偏差値やテストの順位とは無縁の人生を歩めますが、大人になってから教養を学ぶと、学生時代に感じていた周囲との〝差〟もたちまち埋めることができます。

多くの人にとって教養は、よほど趣味で掘り下げないかぎり、きちんと深く学ぶことがありません。少し知っているだけで、あなたを見る周囲の目だって、すぐに変わります。

知性を効率よく、そして上手に見せられるものが教養です。知的な女性に欠かせない、ブランド品以上に価値のあるアイテムなのです。

世の中には恋愛本がたくさん存在します。モテテクニックや恋愛心理学などで好きな人を振り向かせたり、付き合ったりする方法を教えている本のことですね。私もそういう本を楽しんで読んできましたし、恋愛がうまくいくきっかけには有効な知識だと思います。でも、そのテクニックは恋愛の導入部分で使われることが多く、自分が一生愛されて生きていくためには、テクニックだけではどうにもなりません。

器の大きな女性になって、パートナーの良さを発見したり、子どもの良さを伸ばしたりするためには、多くの事例を知っておく必要があります。

幼少期に勉強が苦手だった子どもたちが将来有名なアーティストになることも

あれば、天才だと称《たた》えられた子どもたちが、大人になってから苦しい思いをしたこともあります。そうしたさまざまなパターンを知っておくことで、自分の中で多くの仮説を持つことができます。

私たちは日々生きていく中で小さな、瞬間的な感情に振り回されることが多くあります。

でも、これからの時代でも大切にされるであろうものを学ぶことができれば、その瞬間に悩んでいることがあったとしても、「この人の人生は、こういう風になるかもしれない」と広い視点で捉えることができるようになります。

懐が深く、器の大きな女性になるには、それだけのスケールのものを知っていくことが必要です。

それこそが、恋愛本では身につかない、教養を身につけた女性だけが持てる力なのです。

guidance

大切なのは1%でも記憶に残すこと

インターネットが発達して、現代は調べればなんでもわかる時代だといわれています。**そんな時代だからこそ、自分から学んだ知識が資産になり、それによって人生を十二分に楽しめるかが決まります。**

知識といっても、学校の勉強のように無理をする必要はありません。

たとえばゴボウについて、「ゴボウは晩秋から冬が旬です。水分が少なく、ビタミンCや血行促進作用のあるビタミンE、鉄やミネラルが豊富で体を温める食材であり、水溶性・不溶性ともに食物繊維を豊富に含み、便秘の解消にも効果が期待できます」という情報を目にしたとしましょう。

そのときは「へぇ〜、そうなんだ！」とは思いますが、この内容をすぐに覚えることはできませんよね。

でも、「ゴボウは冬の野菜だから体を温める食材だ！」というようにざっくりと捉えられると、すぐに覚えられ、そこから少しずつ知識を肉づけしていくことができます。

西洋絵画の「印象派」についても、「19世紀後半、パリにおいて起こった芸術運動。モネの作品『印象・日の出』という題名から記者が嘲笑的に名付けたのが由来になっています。それまでの写実主義に対して大胆に事物の印象を描き、物議を醸しました。印象派は近代絵画において重要な役割を果たします」と読んでも、やはり覚えられません。

でも、「印象派は光の印象を描いた絵！」と情報を小さく嚙《か》みくだいて覚えると、一気に頭の中に残ります。

こうしてざっくりとした知識を頭に入れることは、簡単そうに思えますが、意外と時間がかかります。

実際にはさまざまな周辺知識を学ばないと、短く、覚えやすい理解ができないからです。有名予備校の講師がわかりやすい授業をしてくれるのも、これと同じ原理のように思います。

詳細に説明されれば、間違えて理解することも少なくなりますが、その分ストレスもかかってしまいます。彼に自分の気持ちを伝えたいときほど、LINEが長文になってしまうのと同じですね。１００％ではなく、１％でもきちんと伝える（覚える）ことを大切にしましょう。

だからこそ本書では、そんな１％を大切にし、より多くの知識を手に入れたくなるような、〝きっかけ〟の部分を中心にまとめました。話の展開が急に感じるところもあるかもしれませんが、楽しそうと思えるポイントを詰め合わせました。楽しんでいただけるとうれしいです。

guidance

〝うっとり〟が教養を深める

私が初めて西洋絵画や食、ワインに興味を持ったのが、海外旅行で訪れたウィーンの地でした。ウィーンに行ったとき、わからない文化がたくさんあったからです。そこから国内外問わず、少しずつ知識を注《つ》ぎ足していきました。

私は大和撫子《なでしこ》の本を出しているくらい、日本の文化が大好きです。それも海外へ行ったことがきっかけとなり、より日本に興味を持つことができ、さまざまな文化を学ぶきっかけになりました。

昔の人が残してきた文化は、どれも歴史が詰まった宝箱のようなもの。

何も知識がなければ、いくら読んでも、見ても、味わっても「古いもの」「私には関係ないもの」としか思えませんが、少しでも知識のきっかけを摑むと、感じ方が180度変わります。

私たちに必要なのは、知識と自分自身を繋ぐ〝きっかけ〟です。
たとえば、何も知らずに左の絵を見ても通り過ぎてしまい、記憶には残らないでしょう。

でも、この絵が「世界で初めてダイヤモンドの婚約指輪を渡されたお姫様が描かれている絵だ」と聞いたら、頭に残るのではないでしょうか。うっとりと心が動くと、頭に残りやすいのですね。

しかも、このお姫様は現代でも有名なワインの産地・ブルゴーニュの最後のお姫様で、彼女の結婚を機に、ブルゴーニュのワインは洗練されていきます。

この絵の2人は政略結婚にもかかわらず、乗馬や狩りなどの趣味を通じて心から愛し合うカップルとなったそう。とてもロマンチックな絵です。

『マクシミリアン1世とマリー・ド・ブルゴーニュの結婚』アントン・ペター

この絵はとても素晴らしいですが、昔の絵画を見て、「肌が真っ白！」「すごく太ってる！」などと思うこともあると思います。国や時代によっては畑仕事をしなくてもいいほど裕福であることの象徴として肌の色の白さを際立たせていました。また、少しふっくらとした体型の女性も、食料が少ない当時において、裕福だったことを意味します。食料が増え始めると、モデルになる女性は一気に細くなります。こんな風に、当時の常識を少し学ぶだけで、受け取れる情報量が増えていきます。

文学でも絵画でも、作家は当時の常識のうえに作品を作り出してきました。今を生きる私たちが見たら理解できないことでも、その当時の価値観が反映されているわけですから、そこには新鮮な発見があります。

本書を読み終えた頃には、そんな発見の楽しさをあなたにも感じてもらえることと思います。

本書では、1～5時間目として食、ワイン、クラシック音楽、西洋絵画、文学の「これだけは知っておきたい」教養を扱っています。特に、クラシック音楽や西洋絵画、文学には、注目すべき作者が数多くいますが、本書では誰もが一度は名前を聞いたことがある人物に焦点をしぼり、できるかぎり記憶に残りやすいようにお伝えしています。

人は、**他者が生み出した感動に触れたときに、心の底から感動できる**ものだと思います。

そして**その感動の瞬間が多いほど、心震えるような人生が送れる**と思うのです。

それでも日々忙しく生活しすぎて、緊張して、心が凝り固まってしまうこともあるはず。まずは、そんな凝り固まった心を解きほぐして、少しずつ感動しやすい自分に変化させてみましょう。

それでは、そんな人生を充実させる教養の世界をお楽しみください。

1時間目

食

もっとも身近で
きらめく教養

Food

〝土地〟に思いをはせると食が瞬く間に輝き出す

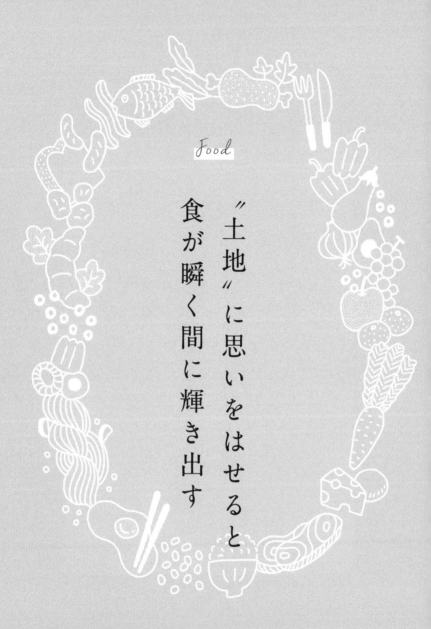

みなさんは「食」に興味がありますか？　お友達と楽しむ食事や会食、恋人と行くとっておきのデートなど、一口に食といっても、さまざまな場面がありますよね。

1時間目は、趣味嗜好《しこう》にかかわらず、誰にとってももっとも身近で、栄養という面からも直接大きく関係する食の教養を深めていきましょう。

本章では、フレンチ、イタリアンの文化の広がり、そして日本の食の広がりについて触れていきます。本書で取り上げる教養の中で一番身近なものが毎日触れる「食」だと思います。**食べることが好きな人も嫌いな人も、教養としてそれぞれの土地で育った文化を知ることで、毎日とる食事が素敵な時間になりますし、特別な日の食事がより特別になるはずです。**

実際、私も昔は食に興味がありませんでしたが、マナーを知りたかったり、お料理ができる女性になりたかったりしたことが入り口となり、少しずつ学びはじめました。大人になってから趣味で習い事をする中で、海外や日本の知識が少しずつ増えて、近場であっても旅行をしたような気分で食事を楽しめるようになりました。

土地の特徴を知り、文化や歴史、地理を思い浮かべて食事すると、まるで旅行をしたかのような気分で食を楽しむことができるのです。好きな料理が見つかれば、そこからほかの料理にも自然と関心が移り、より知識が深まります。

まずは、フレンチとイタリアンの違いからざっくりと押さえていきましょう。

「パスタがあるのがイタリアン、パスタがないのがフレンチ」と理解している人も多いかもしれません。私も最初はそのように覚えました。

日本には「洋食」という文化があるため、その存在がフレンチとイタリアンの違いを少しややこしくしている気がします。洋食は、西洋から入ってきた料理を日本人に馴染《なじ》みやすくアレンジした日本独自の料理です。ナポリタンやオムレツ、クリームコロッケ、ハンバーグなど、庶民から愛される「洋風の和食」ということですね。

イタリアンとフレンチの違いを理解するために、まずは国の風土やルーツを知ると面白くなります。

イタリアンは「イタリアの家庭料理が極まったもの」といわれています。たとえば、パスタは日本の一般家庭でも馴染みがありますよね。

日本と同じようにイタリアの国土も南北に長いため、発展してきた料理もそれぞれに異なります（P84も合わせてお楽しみください）。

イタリアは多くの土地が海に面しているため、昔から新鮮で美味《おい》しい魚介類がたくさん取れました。そのため、新鮮な食材を腐らせないように、そのまますぐに調理するスタイルが根付きました（カルパッチョ、海の幸のパスタなど）。

中部から南部ではオリーブ栽培が盛んで、オリーブオイルとともに、トマトをたっぷり使う料理が発展しました（カプレーゼ、トマト系のピザなど）。北部は酪農が盛んで、煮込み料理が多く、バターやクリームが料理のベースになっています。

イタリアンの代名詞ともいえるパスタも南北で特徴が違います。北部ではチーズによく合う生パスタが多く、南部ではオリーブとよく合う乾燥パスタが主流です。たしかに、寒い季節はクリーム系のパスタで温まりたいし、夏は乾麺のさっぱりしたパスタが食べたくなりますよね！

気候や地形に多様性がある国は、さまざまな料理が発展します。日本も各地に郷土料理があり、似たような部分がありますね。

一方、フランスはイタリアに比べて涼しい気候のため、取れる食材に限りがありました。

トマトやバジルは育ちづらい環境でしたが、その分酪農が得意でした。牛乳の生産が盛んになり、バターや生クリームがさまざまな料理に使われます。**限られ**

た食材をさまざまなバリエーションで楽しめるように、食文化が発展したのです。

このバリエーションの豊かさを感じられるのがチーズです。フレンチのコースでは、最後のほうにさまざまな種類のチーズがワゴンで運ばれてくることがありますが、まさにフレンチの特徴を感じますね。

ワインの原料であるぶどうも痩せた土地でよく育つので、フランスはワイン作りが得意です。詳しくは2時間目のワインの章で触れますね。

野生鳥獣の食肉を意味する「ジビエ」もフレンチです。元々は貴族だけが口に入れることができる高貴な料理でした。尊い命を大切に食べるために、血や内臓まですべてを調理するスタイルが特徴です。

パテやテリーヌもフランス料理ですが、このように限られた食材をいろいろな工夫の中で食べることが多いのですね。

料理の彩りも、それぞれの違いを理解する助けになります。

イタリアンでは食材自体が赤や緑、黄色などカラフルな料理が多く、フレンチではこうした彩りはソースやクリームなどに使われることが多いので、料理自体は茶系や白系の色味になることが多いです。

彩りの豊かな食事を見ると、たくさんの種類の食材がある国だとわかります。色味が少ない食材を多く使っている国は、限られた食材を上手に使っていたり、寒冷な気候だったりするのかなと想像しながら食事ができて、食事がより一層楽しくなります。

このようにその土地を想像しながら食を考えることで、何気ない食事にも奥行きが生まれ、まるで旅行をしているかのように楽しめ、記憶にも残り、忘れがたい経験になります。

美しいパスタの食べ方

パスタを食べるときにフォークとスプーンを使う人も多いと思いますが、イタリアではスプーンは子どもしか使いません。フォークだけで美しく食べられるといいですね。

STEP1

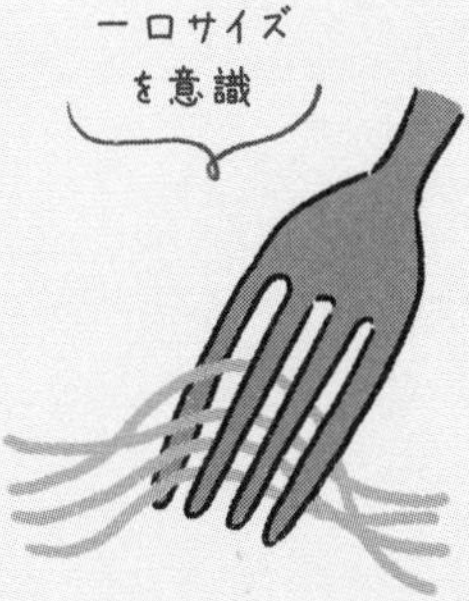
一口サイズ
を意識

STEP2

フォークは
お皿に垂直

美しく食べるには、一口サイズに巻くこと。

フォークで３～４本を取り、お皿の余白でフォークをお皿に対して垂直に立てて巻きます。これだけですすることなく、一口で美しく食べることができるのです。

また、ペンネやフジッリなどのショートパスタは、突き刺すのではなく、フォークの腹にのせて食べましょう。

フレンチで知っておきたい 4つのこと

「フレンチのマナーは難しい」そんなイメージを抱いている人も多いかもしれませんが、最低限次の４つを押さえるだけでも気持ちが楽になるはずです。

1 ナイフ・フォーク

ナイフやフォークは「外側から」使います。左手にフォーク、右手にナイフを持ち、それぞれ人差し指を添えて、ひじを張らずに持ちましょう。

外→内の順に使う

2 パン

パンは直接かぶりつかず、一口サイズにちぎって食べるようにします。パンくずでテーブルを汚さないよう、パンの角をお皿につけてちぎるといいでしょう。

3cm幅を目安にちぎる

3 スープ

スープは手前から奥にスプーンを動かしてすくいます。飲むときに音を立てないよう、吸わずに、流し込むようにしましょう。スープの量が少なくなったら、皿を左手で右奥に傾けてすくいます。

下唇につけて流し込む

4 魚・肉

筋に沿って切ると、切りやすくなります。付け合わせはバランスを見ながら同時に食べ終わるように。肉は最初にすべて切り分けてしまうと肉汁が流れてしまうので、食べるときに切り分けるようにしましょう。

筋に合わせて斜めにナイフを入れる

Food

食器は先人から与えられた食の羅針盤

土地と同じく、各国の料理を理解するヒントになるのが「食器」です。普段何気なく使っている食器ですが、その大きさや重さに注目したことはありますか？　食器に注目すると、文化や食の発展の歴史を理解できます。

イタリアもフランスも、ダイニングルームの大きなテーブルで食事をとっていました。銀のフォークやナイフを使うので、お皿は陶磁器で硬く、食事中に持ち上げることもないので重量があります。色は白を基調としているため、主役の料理が際立ちます。

世界の料理の中でも特にフレンチは、「テーブルマナーが難しい」と思われがちです。

その理由はテーブルマナーが、元々フランスの貴族の中で生まれた文化だったからです。時間とお金があり、教養を学ぶ余裕があるからこそマナーは生まれます。

つまり、**「わからない人がいるからこそ、意味をなしたマナー」だったのです。**だからフレンチは、素人がひるんでしまうくらいフォークとナイフが並べてあります。

反対に、イタリアンは先にも述べた通り家庭料理が極まったものなので、フォークとナイフは1セットずつとシンプルなことが多いですね。

このように食器を観察すると、テーブルマナーを暗記するよりずっと楽しく食事の教養を学んでいけます。**ご自宅にある器を、どこの器なのかなと見直してみるのも楽しいですよ。**

それでは日本はどうでしょうか。元々日本人は、お膳（脚付きも含め）で食事をとっていました。大河ドラマをはじめとした時代劇で見たことがあるかもしれませんね。この小さなお膳の中にいろいろなお皿を収めます。そのため、丸いお皿だけでは収まりにくく、四角や多角形など、さまざまな形を組み合わせて上手にフィットさせていました。

日本人は限られた空間に収納するのがとても得意です。おせちやお弁当はその最たるものですね。

以前、和食のお教室で先生がご自身で収集されたお皿の説明をしてくださりました。先生は季節や料理に合わせて、たくさんのお皿を使い分けていたのです。**和食は彩りが足りないことも多いので、器も主役である料理を引き立てる大切な要素なのだ**と教わりました。そのため、日本料理は料理よりもお皿のほうが派手なことも多いのです。

ところで、なぜ日本がお膳で食事をしていたのかを考えたことがありますか。それは、畳のうえで生活をしていたからです。畳にご飯がこぼれてしまわぬよう、畳を守るために食器を口に近づけて食事をしていたのです。

また、食事と睡眠の空間が同じだったことも大きく関係します。海外ではベッドルームとダイニングルームが分かれていますが、日本の庶民は同じ部屋でミニマムに生活していました。お膳で食べて、片付けて、お布団を敷く。そのような生活スタイルだったので、独自の文化が発展したのです。

当時の日本人が食べていたのは、塩辛や大豆、黒豆など箸で摑《つか》みにくい食べ物。そのため食べ物を落とさず口へ運ぶには、食器を持ち上げる必要があったのです。器を手で持って食べるという文化の裏には、畳を大切に扱う心があったと知ると、それ自体がとても素敵な行為に思えます。

手で持つ器なので、軽くて繊細で、質感も手に持ったときに心地いいものが多いです。ヨーロッパでも、茶器など、手に持つ食器は軽くて繊細に作られ、そして、近くで見て美しい装飾が施されることが多くあります。

マナーを知ろうとすると、ついついそのマナーが残った理由を見落としがちですが、そこに素敵なストーリーがたくさん埋もれているのです。そんなストーリーごと味わってみると、食事が自分の糧になっていきます。

Food

いつの時代も紅茶を
たしなむ女は美しい

前の項目では食器に注目しましたが、どの国でも自分の手に持つ食器に関しては、繊細で肌触りが良く、装飾も華やかな傾向にあります。

特にティーカップには、そのような文化が表れているように思います。最近はインスタグラムでもよく〝映え〟スポットとしてアフタヌーンティーが親しまれていますね。これも、女子がワクワクする文化のひとつだと思います。そして、歴史をひも解けば紅茶もしっかりとした教養のひとつだとわかります。

紅茶といえばイギリスのイメージが強いですが、中国から伝わった中国茶がそのルーツです。17世紀、ヨーロッパでは「中国人や日本人はお茶を飲んでいるから長寿なのだ」という噂《うわさ》が広がっていました。当時は今のように飲用としてではなく、薬として重宝されていたようです。

しかも、お茶は当時のヨーロッパでは上流階級の人だけが手に入れられる高級品。そのため、**お茶は上流階級のステイタスのひとつになっていきました。珍し**

いものを飲み、たしなむことが富と権力の証《あかし》だったのです。そうして西洋でのお茶人気がどんどん高まっていきました。現代でも紅茶をたしなむことには優美なイメージがついていますが、伝統的に愛されて、大切にされてきた文化なのです。

ティーカップには下にソーサーがありますよね。これには、こんな逸話があります。

イギリスには中国から茶器セットが輸入されていました。セットの内訳はお皿とポットと小さなカップ。しかし、その使い方を説明してくれる人はおらず、イギリス人は想像でそれらを組み合わせて使いました。

このとき、本当は茶菓子用のお皿がカップの下に置かれたのです。こうして、今のソーサーのうえにカップを置くスタイルが生まれました。

当時のカップには取手がなく、熱いお茶を入れたカップを直接持つことができませんでした。そこでカップからソーサーにお茶を移して、冷ましてから飲みました。その後に取手ができましたが、ティーカップのソーサーはそのときの名残なのだそうです。

やがて紅茶は一般市民にも広まって現代にも続いています。

今回は、女子がよりワクワクするお姫様の文化と近い紅茶を取り上げましたが、日本のお茶文化も素晴らしいものです。奈良時代に中国から伝わったお茶は、常に日本の中枢で磨き上げられてきました。室町時代の足利将軍や豊臣秀吉が宇治茶のブランドを確立し、その後千利休らが武士にもお茶文化を浸透させます。お茶は江戸幕府の儀礼に正式に取り入れられ、武家社会に欠かせないものとなりました。

いい香りを嗅ぎ、素敵なカップを眺めていると、素敵なひらめきやアイデアが生まれそうですね。自分好みのカップが見つかると、毎日のリラックス時間がより充実した時間になるはずです。

美しい紅茶の飲み方

紅茶を美しく飲むためには、ふたつのことを意識してみましょう。ひとつめは、音を立てないこと。そしてふたつめが、水をはねさせないことです。これらはコーヒーを飲むときにも使えるマナーです。

STEP1

砂糖やミルクは、スプーンから落とすのではなく、スプーンごと浸すようにして入れましょう。
かき混ぜるときは、カップの中心で音を立てないようにし、スプーンについた水気はカップの奥で切ります。

落とさず
ゆっくりと

STEP2

持ち手に指は入れずに持ち、あごを上げず、カップを傾ければ、美しく飲むことができます。

持ち手が右側に
くるように回す

Food

和食には世界に誇れる美意識が宿っている

海外の食を知った後に感じるのは、「やっぱり和食は素晴らしい」ということです。和食は2013年にユネスコ無形文化遺産に登録されています。文化遺産が日々食べられるなんて、日本は本当に素晴らしく、贅沢《ぜいたく》な国ですよね。
仕事や収入が変化したり、ライフスタイルが変わり自炊が増えたりするタイミングの方は、ぜひ積極的に和食を学んでみましょう。

「和食」といっても、名前やお店のスタイルなど、さまざまな種類があります。懐石料理や割烹《かっぽう》、料亭など言葉としてはなんとなくわかるけど、それぞれの違いがわかるという方は意外と少ないのではないでしょうか。

懐石料理は、「一汁三菜」という日本古来の食法を基本にしていて、茶の湯の席でお茶をいただく前に出される料理のこと。
懐石料理が発展した時代をひとことで表すと、千利休がいた時代です（16世紀、戦国～安土桃山時代）。お茶をより美味しくいただくためにできた料理が懐石料理でした。茶会の席では、空腹のまま刺激の強い茶を飲むことを避けています。**懐石料理には、「旬の食材を使う」「素材の持ち味を活かす」「親切心や心配りをもって調理する」という原則があり、この原則にも千利休の侘《わ》びの思想が反映されています。**

茶道は禅宗と一緒に発展しました。禅宗では、修行中の禅僧の食事は午前一度だけと決まっていました。夜になると体温が下がるため「懐に石を入れて温める」ことで体温を保ちます。ここから「懐石」という名前になりました。そこから懐石は「空腹を満たす程度の質素な和食」という意味で使われるようになったのです。

ちなみに割烹には、「食材を包丁で割いて烹《に》る」という意味があります。

割烹の対義語にあたるのは料亭。どちらも提供される料理は和食で同じですが、**割烹は和食を気軽にカウンターで出すスタイル、料亭は和食を形式ばって出すスタイルと覚えてください。**

歴史も知ると、和食にもっと興味が出てくるはずです。

和食の中心といっても過言ではないお米。私も大好きです。**お米は縄文時代から作られていますが、今のようにお米を白米で食べるようになったのは江戸時代と比較的最近です。**それまでは玄米を中心に食していました。

飛鳥時代（6世紀末）に中国との貿易があり、お箸、酢、醤油《しょうゆ》などが伝わって一気に日本の食は広がります。

安土桃山時代（16世紀末）には醤油中心の味付けになり、この時期の南蛮貿易によって新たな野菜や香辛料、砂糖が伝わります。

江戸時代（17世紀）になると、鹿や猪《いのしし》、うさぎや熊など、いわゆるジビエの肉が食べられるようになり、オランダの医学で肉食が体に良いとされていたので、牛肉を売る店も生まれます。江戸には各地の食材が集まり、天ぷらの屋台やお蕎麦屋さん、お寿司屋さんが生まれます。器もこの時期に多様に発展しました。

こうした違いがわかったうえで、日本人の健康と和食の繋がりについても見ていきましょう。

Food

和食は日本人の体が求める至上の食事

フレンチ、イタリアンについて最低限の知識を見てきましたが、みなさんの日々の食事はどんなものが多いですか？　**現在ではインターネットでもいろいろな健康法が得られますが、私は「その健康法が日本人に合っているか」を大切にしています。**

日本人は伝統的に魚を多く食べてきたので、血液中にＥＰＡやＤＨＡが多いといわれます。また、豆や味噌《みそ》をよく摂ってきたことから、善玉菌が多く、腸内環境が良いといわれています。米などの炭水化物の栄養をたくさん吸収できるようになっているのです。

一方で肉を多く摂ってきた欧米人は、胃の壁が厚く、胃酸をしっかり分泌できます。反対に日本人の胃腸は、脂肪を消化するのが苦手。だからこそ、自分のルーツに合った健康法を取り入れるほうが良いのです。

私たちの腸の強みを活かすためには、食物繊維が欠かせません。青汁を飲んでも食物繊維は摂れません。腸内環境を守るためには、玄米や大麦、大豆、キノコ類や海藻などを積極的に摂っていきましょう。アンチエイジング効果も高いので、積極的に摂っていきたい食材ですね。

また、和食の美味しさの根本といっても過言ではない出汁《だし》。これも知識を蓄えることで、より健康的に体に入れていくことが可能です。

たとえば、顆粒《かりゅう》の出汁と、鰹節《かつおぶし》から取るかつおだし、味は変わらないように思えますが、何が違うのでしょうか。

一概にはいえませんが、顆粒の出汁の多くは調味料商品に近いものが多いです。つまり、化学調味料でかつおだしの味に寄せているのです。本当のかつおだしは意外と味が薄いので、普段から調味料の味に慣れていると、これがしっくりくるはずです。

でも、**鰹節から取るかつおだしにはたくさんの栄養が詰まっています。簡単にいえば、かつおを丸ごとスープにしているのと変わらないからです。**かつおを丸ごと乾燥させて削っているので、かつおの身をそのままスープにして出汁を取るイメージ。かつおには、タンパク質、カリウム、カルシウム、マグネシウム、ビタミンB1、B2、Dなど豊富な栄養素が含まれています。

また、かつおには「イノシン酸」が含まれています。これは「旨味《うまみ》成分」といわれるもの。「UMAMI」は今では世界共通語です。旨味には、昆布などのグルタミン酸、かつおなどのイノシン酸、干し椎茸《しいたけ》のグアニル酸の3種類があって、これらを掛け合わせることによって、旨味は7～8倍にもなるといわれます。

3種類の掛け合わせといっても、難しく考える必要はありません。日本人にとって身近な寿司はまさにこの掛け合わせでできた食事です。米のグルタミン酸と魚のイノシン酸の相乗効果で美味しくなっているのです。美味しいものには科学的な根拠があるなんて面白いですよね。そんな寿司の歴史も奥深く、面白いものです。次のページから見ていきましょう。

Food

工夫と深い精神性が同居する「寿司」

今や〝ＳＵＳＨＩ〟は世界的にも人気の料理。海外で日本人が働くときも、「寿司職人になれば一生食いっぱぐれることはない」といわれるほど、世界に誇れる文化でもあります。

寿司、鮨、鮓など「すし」にはいろいろな漢字があることを不思議に思ったことはありませんか？

漢字を読み解くと、その歴史を追うことができます。

まずは「鮓」という漢字。

これは酢と同じ漢字のつくりからもわかるように、酸っぱい寿司を指します。

これが一番古く、奈良時代に作られていた米や魚を発酵させて保存する料理でした。当時は身分の高い人だけが食べられるものだったのです。

今でいえば「熟《な》れずし」でした。冷蔵庫はもちろんないので、保存食のひとつだったわけですね。

江戸時代になると、寿司は庶民にも広まります。熟成期間を短くしてご飯にお酢を混ぜて作った「早ずし」です。そのほかにも、箱ずし、巻きずし、棒ずしなどが登場しました。

今では誰もが知るお酢の「ミツカン」の創業者は、江戸時代に早ずしの人気を聞きつけて食べたそうです。そのとき、早ずしには高級な米酢が使われていると知り、より安く、寿司に合う手軽なお酢の開発に取りかかります。その結果、米酢を原料とした赤酢が完成。**赤酢は江戸限定ブランドとして売り出され、人気になり、寿司とともにお酢も庶民の間に広がりました。**

その後、江戸時代後期になって登場したのが握りずし（鮨）でした。寿司という漢字は鮨をめでたくした当て字だそうです。

昔の寿司は今の5倍ほどの大きさがあったため、手で摑んで食べていましたが、最近では小ぶりになりました。箸を使って食べても問題ありませんが、ネタやシャリの温度に気を遣っているお店では、手で食べてもらうためにフィンガーガーゼを用意している場合があります。そのようなお店では、風味を損ねないように出された寿司はなるべく早くいただくようにしましょう。

また、寿司職人は寿司と同じくらい卵焼きも大切に受け継いできました。

お寿司屋さんで卵焼きが大切なわけを知り合いの職人さんが教えてくれました。卵焼きは、卵を焼くだけのシンプルな料理ですよね。でも、**そのシンプルな作り方に何百通りもの工夫をしていくことに意味があるのだそう。**

どこの卵をどんな割合で何個使うのか、そこに混ぜる出汁や具材はどんなものを何グラムずつ使うのか、どんなフライパンで焼くのか、何分焼いて何分冷ますのかなど、卵焼きひとつに考えられるかぎりの工夫を凝らします。

このように限られた食材の中で、何十にも何百にも工夫を凝らしていくことが寿司の根本なのだそうです。高い精神性を備えた食文化に触れることは、私たちの人生にもいい影響を与えてくれますね。

美しい寿司の食べ方

寿司を食べるときには、醤油のつけ方、そして頼む（食べる）順番を意識してみましょう。

シャリに
醤油がつくと
崩れる原因に

醤油はネタの端につけます。シャリにつけてしまうと崩れる原因になります。寿司を左に倒し、ネタとシャリを摑み、ネタの端に醤油をつけます。口に運ぶまでに醤油が垂れる心配があるようなら、手皿ではなく、醤油皿を持って、口に運びましょう。

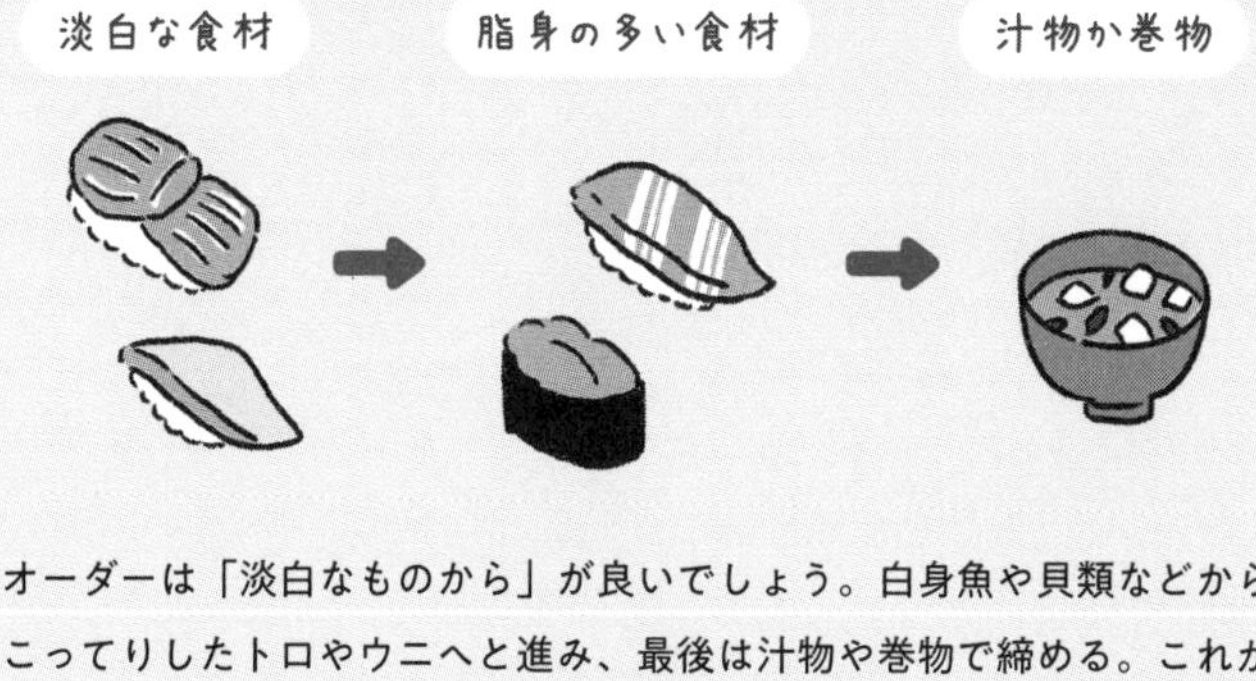
淡白な食材
脂身の多い食材
汁物か巻物

オーダーは「淡白なものから」が良いでしょう。白身魚や貝類などから、こってりしたトロやウニへと進み、最後は汁物や巻物で締める。これが美味しく食べられる、スマートな頼み方です。

Food

旬と健康は
いい女の必須教養

食材に興味を持つタイミングは、人それぞれですが、自分や家族の健康を考えはじめるときが一番多いのではないでしょうか。私が懐石料理の講座に行ったときには、生徒の半分が妊婦さんでした。**多くの人が食について深く知りたくなるのは、体にいいものを取り入れたいと考えるタイミング**なのだと学びました。

とはいえ、「体にいい食材」を覚えるのは大変ですよね。そんな場合は、その季節の旬の食材を楽しむだけで、栄養満点なものを取り入れることができます。

「旬の食材もよくわからない！」そんな声も聞こえてきそうですが、**その時々でスーパーで大きく並べられ、安く売り出されている野菜や魚が旬であると覚えてもいいでしょう。**できれば、自分で料理を作りながら季節ごとにスーパーへ行ってみると、一気に情報が自分の中に入っていくように思います。

旬とはその食材の一番美味しい時期のこと。食材も生きていくために多くの工夫をしています。

たとえば、寒い季節に育つには、その食材自体の中に熱を溜《た》めなければなりません。根菜の多くは寒い時期に成長します。**根菜は冬に土の中でしっかりと熱を溜めています。そんな性質があるので、根菜は私たちの体を温めてくれます。**

一方、夏に旬を迎えるキュウリやナス、トマトやスイカなどの食材は、自分たちの体温を上げすぎないように水分をたくさん含んでいます。そのため、夏の食材を食べると、私たちも自然と体温が下がるようになっています。

タイ料理など、国によっては香辛料の発汗作用によって、体温を下げる料理もありますね。逆に、寒い地域では辛さで体を温める料理が発展します。

女性にとって、健康的に美を磨くという理想を叶えてくれるのが旬の食材なのです。旬の食材で、自分たちの体を上手に健康へ導いてあげましょう！

2時間目

ワイン

飲まなくても
ワンランク上に
なれる教養

世界のワインは新旧ふたつに分類するとわかりやすい

どうしてもワインに対して難しい印象を持っている人も多いと思います。

まずは、ざっくりと国ごとの違いや特徴を押さえてしまいましょう。

ワインは歴史が古い「旧世界」と新しい「新世界」に分かれます。

旧世界はフランス、イタリア、スペイン、ドイツなど。新世界はアメリカ、オーストラリア、チリ、日本などです。

本書では、フランスやイタリア、アメリカでなぜワイン生産が盛んになったのかを押さえていきますが、大まかにそれぞれの特徴を知っているだけでも、ワインの奥深い世界を知るきっかけになりますよ。

例外もありますが、**旧世界のワインは味が複雑で難しく、新世界のワインはしっかりとした味わいのワインが多いといわれています。**

これは、旧世界ではぶどうの品種をブレンドして作っているワインが多く、新世界ではブレンドしない単一のものが多いからです。

飲み慣れていないうちは、アメリカやオーストラリア、チリなどの味がわかりやすいワインから楽しみ、その後にフランスやイタリアなどの複雑で繊細な味のワインに挑戦するのもおすすめです。

スペイン

ワイン生産量3位のワイン大国。良質で濃厚な赤ワインが世界的に知られています。「早熟」という意味を持つテンプラニーリョという品種が特に有名。赤以外にも、スパークリングワインのカヴァ、ブランデーを添加して作るシェリーなどが日本でも親しまれています。

イタリア

ワイン作りに恵まれた気候条件もあり、生産量首位のワイン大国。冷涼な地域から温暖な地域まで幅広い気候のおかげでバラエティ豊かな品種があります。そのため、イタリアワインの特徴を摑《つか》むのは難しいですが、トスカーナ州のキャンティ、ピエモンテ州のバローロが特に有名。

アメリカ

世界一のワイン消費国。アメリカの生産量の9割を占めるカリフォルニアワインが有名です。アメリカワインの特徴は「わかりやすさ」。ぶどう畑に最適な土地を割り出すために、日照時間や水はけなどのあらゆるデータを研究するなど、科学的な研究も進んでいるのが特徴です。

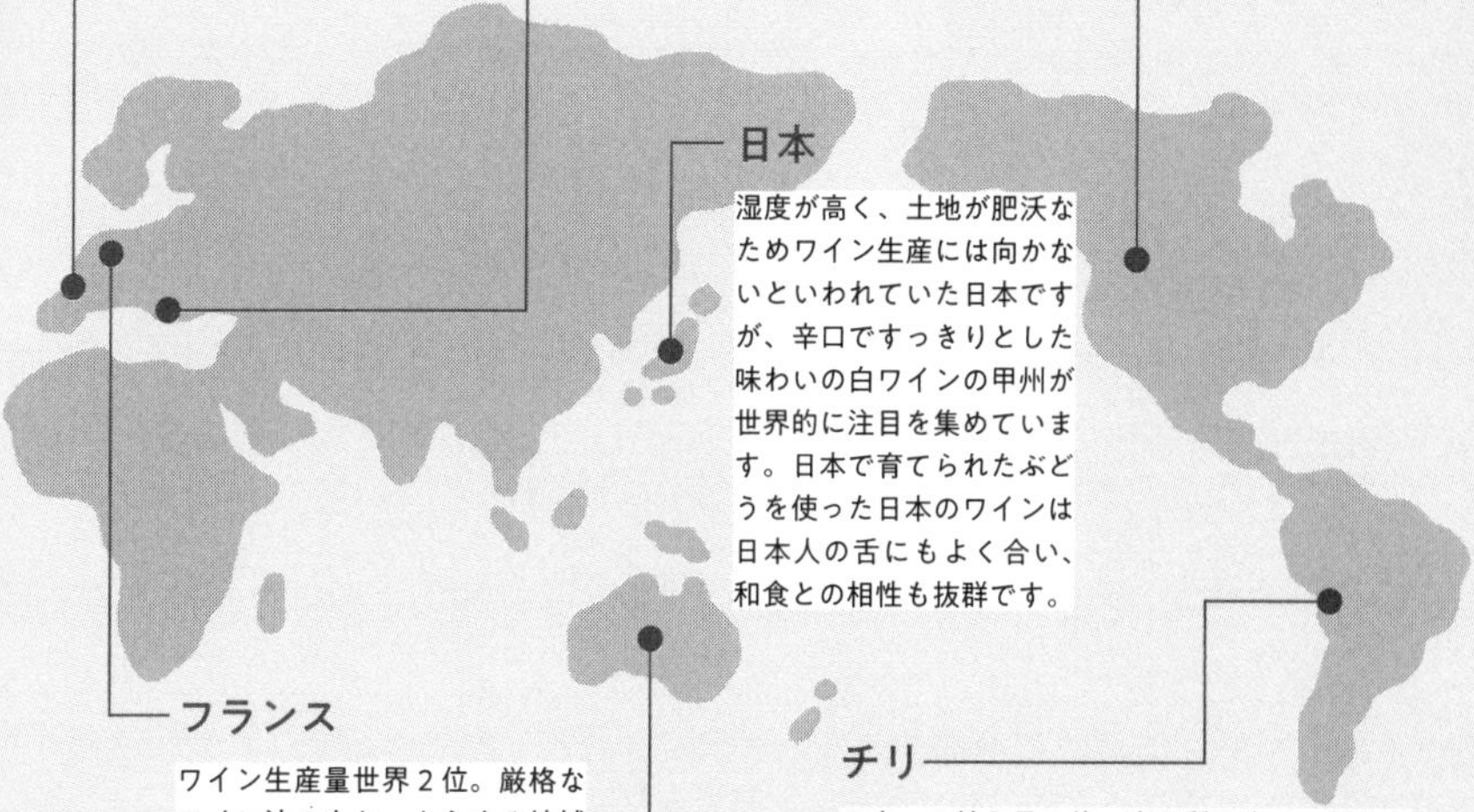

日本

湿度が高く、土地が肥沃なためワイン生産には向かないといわれていた日本ですが、辛口ですっきりとした味わいの白ワインの甲州が世界的に注目を集めています。日本で育てられたぶどうを使った日本のワインは日本人の舌にもよく合い、和食との相性も抜群です。

フランス

ワイン生産量世界2位。厳格なワイン法のもと、あらゆる地域で多種多様なワインが生産されているため、バラエティ豊かなラインナップが特徴です。複雑で繊細な味と香りが世界中で愛されています。

チリ

日本への輸入量1位。高品質で安く、親しみやすいのがチリワインです。土地代や人件費が低く抑えられる、気候が安定している、日本・チリ間の関税が低いことなどが安価で高品質の理由です。ただ近年では、アルマヴィーヴァなど高級ワインも有名です。

オーストラリア

スクリューキャップや箱型ワインなどを開発したワイン新興国。赤のシラーズという品種が有名です。オーストラリアはカリフォルニアと似て温暖な気候。そのため、濃密でやわらかい味わいが特徴です。安価で美《お》味《い》しいワインが多いのも初心者には嬉《うれ》しいですね。

Wine

なぜ日本人はワインに疎く、ワインはいい女の必須教養なのか

今や、日本人にとっても馴染《なじ》みの深いお酒となったワイン。

ほんの少しの知識でワインを飲む時間はもっと楽しくなりますし、ワインを飲む機会に「ワインに興味がある人」だと思われると、相手とも自然と親しくなることができます。ワインが飲めない人も、歴史を知ると退屈な時間も少し楽しくなるかもしれません。

なぜ私たち日本人はワインに疎いのか。

それには、日本の地形や地質が関係しています。

ワインの原料であるぶどうは、ほかの植物と違い、窒素成分がなくても育ったくましい植物です。生育するためには、痩せた土地、砂利・礫質土《れきしつど》が最適なのです。

フランスやイタリアなど、ワインの生産が盛んな国を思い浮かべてください。石の彫刻や石畳をはじめとして「石の文化」といわれるくらい国には石がたくさんあります。

一方、日本では日本酒が作られていますよね。日本酒の原料は米。日本人は肥料と水をたくさん混ぜた田んぼで米を作り、日本酒を作ってきたのです。こうしたヨーロッパとの伝統的な違いからも、日本人がワインに疎い理由がわかります。

このようにワイン作りには気候や畑の土、日照時間が大きく影響します。

さらに、水があるかないかも、大きく関係します。

たとえば、初めてヨーロッパに行った日本人が驚きやすいこととして、レストランの水が有料であることが挙げられます。これもヨーロッパとワインの結びつきを考えるヒントになります。

昔は水を新鮮に保つことが難しかったので、人は川の近くに住みました。**雨も川も少ないヨーロッパでは、「ぶどう一粒からも水分を得る」という発想が生まれます。**新鮮な水が少ないため、お酒を水代わりに飲んでいた地域も多くあります。「朝からお酒を飲んでいたため、長時間働けなかった」という文献も残っているくらいです。

現代はネットショッピングで欲しいものがすぐに届く時代。でも、長い歴史を見ると人類は「運搬」にも頭を悩まされました。

昔話の「桃太郎」や「一寸法師」では、川から大きな桃が流れてきたり、お椀《わん》に乗って川から冒険に出発したりしますね。このように日本には昔から川がたくさんあり、川を大きな荷物の運搬にも使っていました。

しかし川が少ないヨーロッパでは、簡単に大きな荷物を運搬することができませんでした。**運搬しやすいよう、先端が細くなり、栓ができるより小さな保存容器であるビンが発明されます。**

かつてはワインを樽《たる》に入れ、蒸発しないように表面にオリーブオイルをかけていましたが、ビンが生まれ、栓をするコルクが生まれてからは、液体を気軽に運搬できるようになりました。

そしてしっかり保存できるようになったことによって、初めてワインが投資対

象にもなったのです。

ワインは地理、歴史、言語、科学、宗教、芸術、経済など、さまざまな要素が含まれる総合的な教養です。

また、国をまたいで仕事をしているビジネスマンにとっては、直接ビジネスに繋《つな》がる会話をするとインサイダー取引の恐れがあるため、無難な会話としてワインやスポーツ、アート、音楽、映画などが話題に選ばれます。

ワインはみんなで楽しめるもの。少し話についていけるだけで、とてもわかる女性だと思ってもらえる、勉強してお得な教養なのです。

それでは、ワインに対して厳格な法律があり、ワインが今日まで発展するのに大きな影響を与えたフランスから、ぜひ覚えておいてもらいたいお話をお伝えします。

Wine

文化の源・教会で華開いたフランスワイン

ワインにもさまざまな種類がありますが、本書では主に国の文化や歴史、土地柄を基点に考えていきます。まずは、フランスワインから見ていきましょう。

さかのぼれば、フランスワインの起源はメソポタミア文明からなのですが、ここでは特に私がワクワクする歴史の部分を紹介していきます。

時はローマ帝国時代。漫画『テルマエ・ロマエ』の時代といえば、ピンとくるでしょうか。

当時のフランスは、現代のように「フランス」というひとつの国ではなく、小さな王国がたくさんあり、常に領土争いをしていました。**そんなフランスでワインが広まったのは、ローマ帝国がその勢力をヨーロッパ各地に拡大する中で、フランスの痩せた土地でも栽培できるぶどうを広めたことがきっかけです。**ぶどう栽培は、兵士の栄養補給のために始まったものでした。

やがてローマ帝国はとても大きな国になりました。しかし、元々いろいろな国があったので、国民は多様な考えの人々が入り交じっていました。住む場所が少し違えば、言葉すら通じません。そこでみんなの心をひとつにするために、キリスト教がローマ帝国の国教になったのです。

今のようにテレビもラジオもない時代、たくさんの戦争や争いが起き、得体の知れない病気も多くありました。知りたいことをネットで調べることも不可能。そんな時代では、現代の私たちが考えている以上に宗教の存在が大きく、多くの市民の生活に根ざしていました。祈ることにしか、救いがなかったのです。

食べることや飲むことは、そもそも神聖なこととされることが多く、キリスト教ではミサのときにワインを飲みました。そのため、ミサで必要なワインは修道院の畑で栽培されたぶどうで作られます。

つまり、**キリスト教の布教と一緒にワインも広がっていったのです。**聖書ではワインはキリストの血であり、パンはキリストの肉体だとされますが、それほど大切なものであり、敬虔《けいけん》な信者が大切にワインを育てていきました。

キリスト教徒が増えることで修道院への寄進（寄付）も増えます。

ヨーロッパの文化の歴史には、キリスト教が密接に関係しています。ワインのみならず、3時間目、4時間目で触れていくクラシック音楽も西洋絵画も、元を辿《たど》ればキリスト教に行き着きます。**キリスト教から派生する文化を押さえていくと、そこにすべてが詰まっていて、本当に感動することができます。**

私自身、教会はなんとなくきれいな場所だという認識しかなく、海外に行っても観光地として教会を訪れていましたが、文化が華やかに開花したそのルーツにキリスト教があったと知り、文化の捉え方が一気に変わりました。

ワインを勉強しようと思って本を買ってみたけれど、丸暗記ばかりでなかなか覚えられないという人は、このような文化から知ることがおすすめです。

次項からは、有名だけれど丸暗記ではなかなか覚えにくい、フランスのブルゴーニュとボルドーの文化の違いに触れていきます。

フランスワインの品質を守る厳格なワイン法

フランスワインは世界的に高い信用を得ています。**その信用を支えているのが、厳格に定められたワインの法律です。**

18世紀に起こったフランス革命がきっかけとなり、それまで王侯貴族が保有していた教会のぶどう畑が市民の手に渡りました。市民は畑を細分化してぶどう栽培を始めますが、作り手が変わったことで、味や品質にばらつきが出てしまいます。

さらに、19世紀後半には疫病、20世紀には第一次世界大戦や世界恐慌の影響でワインの需要が減少しました。

こうして質の悪いワインが出回ってしまったため、ＡＯＣという階級制度が導入されることになりました。

質やブランドを厳しく取り締まり、文化としてワインを守ってきたのです。

ＡＯＣとは、Appellation d'Origine Contrôlée（アペラシオン・ドリジヌ・コントロール）の略称で、どの土地の品質条件を満たしているのかを示す証明書です。

たとえば、「シャンパン」はシャンパーニュ地方で作られた発泡性のワインを指します。ほかの地域で作られたワインは、発泡性でもシャンパンを名乗れないのです。

２００８年にＥＵのワイン法が改訂され、ＡＯＰ（Appellation d'Origine Protégée）に徐々に移行しつつありますが、基本的な考え方は同じです。

これさえ覚えておけばOK
6つのぶどう品種

ワインの味は品種によって決まります。品種の特徴を大まかに知っておくと、自分好みのワインが選びやすくなります。ここでは主要6品種の特徴をざっくりと押さえましょう。

1 カベルネソーヴィニヨン

世界でもっとも生産されている赤の定番品種。濃厚でしっかりとした味わいで、高級ワインにも使われます。

渋味 ★★★★★ しっかり
コク ★★★★☆ コクあり

2 ピノノワール

フランス・ブルゴーニュ地方の最重要品種。渋みが少なく、なめらかな味わいが特徴。世界的に有名なロマネコンティにも使われています。

渋味 ★☆☆☆☆ なめらか
コク ★★☆☆☆ 軽い

3 メルロー

栽培がしやすいため、世界中で栽培されています。やわらかくて丸みを帯びたふくよかな味わいです。カベルネソーヴィニヨンとのブレンドによる高級ワインを生み出すことでも有名。

渋味 ★★★☆☆ おだやか
コク ★★★★☆ コクあり

4 シャルドネ

切れ味のある芳醇《ほうじゅん》で豊かな味わいですが、産地によって味わいが変わります。ブルゴーニュのシャブリ、シャンパン、カリフォルニア、チリなど、世界中で使われる白の定番品種。

酸味 ★★★☆☆ ほど良い
コク ★★★☆☆ ほど良い

5 リースリング

上品な酸味で凝縮感のある味わいが特徴。貴腐ワインやアイスワインなどの甘口の白ワインに使われることでも知られています。

酸味 ★★★☆☆ 上品な酸味
コク ★★★☆☆ 凝縮感あり

6 ソーヴィニヨンブラン

すっきり爽やかな酸味とグレープフルーツのようなほろ苦い味わい。主にフランスのボルドー地方やロワール地方、イタリア、チリなど多様な地域で栽培されています。

酸味 ★★★★★ シャープ
コク ★★☆☆☆ さっぱり

Wine

質素な街で高級ワインが生まれた意外な理由

フランスの中でも特に有名な「ブルゴーニュ」という地域のワインを見ていきましょう。ブルゴーニュの有名なワインとしては、「ロマネコンティ」があります。ロマネコンティと聞いて、バブリーな印象を抱く方もいるかもしれませんね。日本では「水商売のお店で提供される高級ワイン」というイメージも持たれがちです。普通に生きていたら飲む機会ってそうそうないですもんね。

そんな派手なワインが作られるブルゴーニュですが、実際のブルゴーニュは質素な土地です。ブルゴーニュという土地は、特に敬虔なキリスト教のチーム（シトー派）が開拓した場所でした。

彼らの理念は、「その土地にあるものを大切にしながら生きていく」というもの。睡眠か、お祈りの時間か、神に対する時間という3つの中で生きていました。ワインはイエス・キリストの血だと聖書に書かれていたので、彼らもワインを大切に育ててきました。

ブルゴーニュは夏の日照時間が長く、冬の寒さが厳しいので、ぶどうの栽培にも最適でした。一生懸命に研究したブルゴーニュの修道士は、農作修道士や水工、ぶどう栽培など、専門分野に分かれてブルゴーニュのワインをさらに磨きました。

そして純潔の象徴として、ワインには「ピノノワール」という1種類のぶどうしか使わず、ブレンドしない製法を取っています。

そんな日々積み重ねられた研究とともに、質素に生きた彼らの生活のおかげで、大きな酒造所やお城のようなものもその地域には存在しません。つまり、**大量生産ができないため本数が少なく、ブルゴーニュのワインの値段は高くなるのです。**

ざっくりですがこのように捉えておくと、ブルゴーニュのワインの素晴らしさを感じながらワインを楽しむことができるはずです。

また、ブルゴーニュには「ガイダンス」で触れたように、女子が大好きなエンゲージリングのお話も伝わっています。

当時のブルゴーニュは、まだフランスという国には属さず、ベルギーやオランダも支配していた大公国で、とても力がある国だったのです。ブルゴーニュ公にはマリー・ド・ブルゴーニュという娘がいました。彼女は、大変力のあったハプスブルク家出身のマクシミリアン1世と結婚。**彼女に対して婚約者のマクシミリアン1世はダイヤモンドの指輪を贈ったといわれており、それが婚約指輪の歴史の始まりといわれています。**

後に、ブルゴーニュの土地は分割されて小さくなったことによって、ワインの品質を担保するために格付けが必要となり、今では細かく法律が定められています。なんだかすごく高いブルゴーニュワインというイメージに、素敵なストーリーの知識を追加すると、さらにロマンティックに感じることができますね。

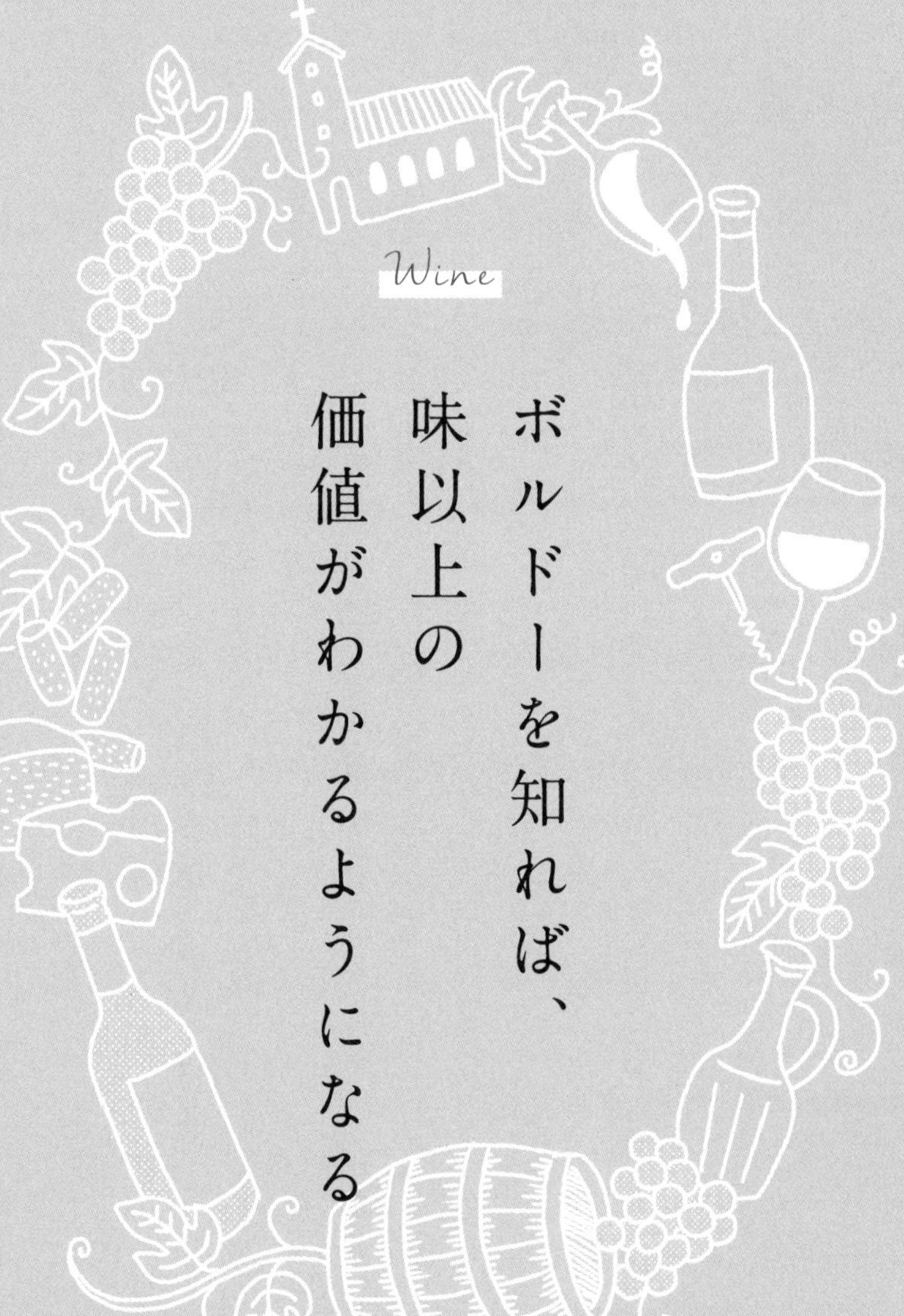

Wine

ボルドーを知れば、味以上の価値がわかるようになる

ワインの名前はわからなくても、「ボルドー」という言葉は耳にしたことがあるという女性も多くいると思います。

たとえば、ファッションアイテムとしてネイルの色を説明するときに「ボルドー色のネイル」というように登場しますよね。深い赤色が美しいボルドーですが、元々ボルドーとはフランス南西部の地名です。

そして、**ボルドーで作られるワインは特別で「高級ワインの代名詞」ともされ、ワインオークションに出品される7割以上がボルドーのワインだといわれます。**特に投資価値が高いとされているのは「5大シャトー」と呼ばれるシャトー産のワインたち。

ボルドーの土もここまでで説明してきたフランスの地同様に痩せた砂利質で、水はけが良く、ぶどう栽培に向いています。そのうえ、日射量も最適。

ボルドーは、フランスの中心地パリから直線距離で約500キロ離れた場所に位置しています。大きな船が通れるほどの深い川が流れていたことで、ワインの運搬が容易でとてもビジネス向きの場所でした。

そんなボルドーの地ですが、1152年にボルドーの姫（アキテーヌ公の娘）とロイヤルファミリー（イングランド王）のヘンリー2世が結婚したことにより、ボルドーはロイヤルファミリーに向けた質の良いワイン作りに力を入れはじめます。

ここでボルドーは一度イギリス領になり、醸造所や貯蔵庫などが整備されました。当時、移動中にワインが劣化・酸化することに悩まされていましたが、ワイン作りに多額の投資がなされ、研究された結果、それらの問題を減らすことに成功します。これが質が良く、長く保存できるワインの先駆けとなりました。

保存できることによって、初めて投資価値が生まれ、大きなビジネスも始まりました。保存できるからこそ、将来的な価値を提供できるようになったのです。

そのように投資価値を持つことができたボルドーワインは、ビジネスセンスの

ブルゴーニュのボトル（左、中央）は貯蔵庫が狭かったため、なで肩に。ボルドーのボトル（右）はタンニンが結合したオリがグラスに入らないようにいかり肩になっている。

ある商人にも注目されていました。

オランダ商人が灌漑《かんがい》技術を伝えて沼地をぶどう畑にすることによって、ワインの大量生産が可能になったり、独占販売権なども使い、上手にビジネス展開されたりしました。**ボルドーはビジネスがすごく得意な産地なのです。**

実際、古いワインを買おうとすると、ボルドーのものはたくさん手に入ります。

そのように、数十年後にも飲める技術が当時から確立されていたということです。

やがてボルドーでは経済が発展し、大商人や成り上がり貴族たちが豪華なお屋敷を建てはじめました。そのため今でも絵画に描かれたような美しいお城が立ち並ぶ景色を見ることができます。

フランスに大寒波があったときも、投資力のあるシャトーだけが復興することができました。当時ヴェルサイユ宮殿ではブルゴーニュが中心に飲まれていましたが、次第にボルドーも認められ、ボルドーワインの質はどんどん高まっていきました。そして、それが今日まで脈々と受け継がれているのです。

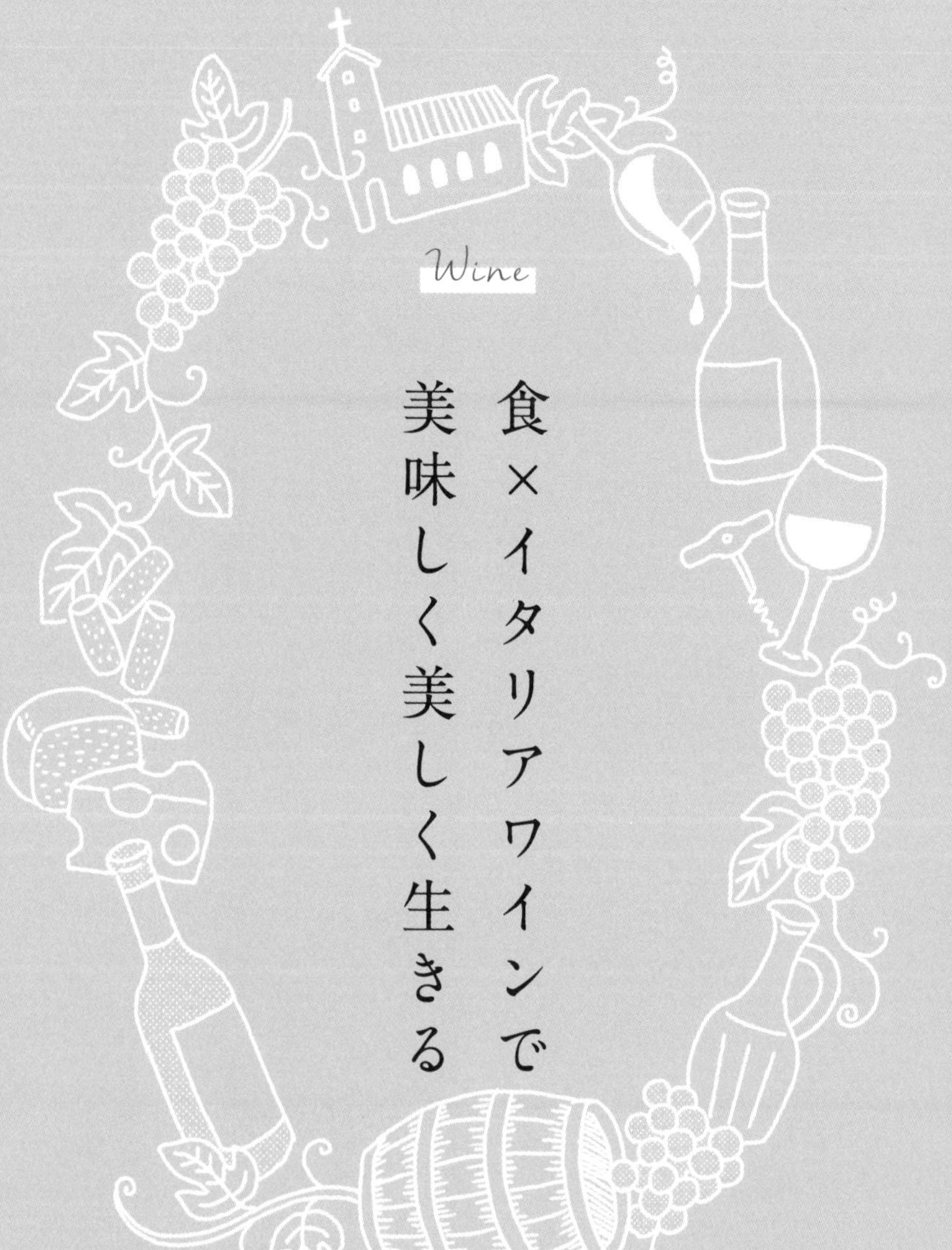

Wine

食×イタリアワインで美味しく美しく生きる

フランスではワインは王侯貴族のためのものでしたが、イタリアでのワインは庶民のためのものでした。

それにはいくつかの理由があります。

まず、**ワインが大好きだったイタリア人たちは「他人に飲ませるためではなく、自分たちが美味しく飲めればいい」と思っていました。**そのため、厳しい規制はそこまでなく、自分たちが美味しく飲めるよう、地域の美味しい料理に合うワインが発展していきました。

そして、格付けの管理がフランスに比べて緩めでした。そのため、質が担保できなかったり、偽物が出回ったりして、ブランド力を高めることができませんでした。だからこそ、高級ワインにはフランスのものが多かったのです。

イタリアの国土の大部分は雨が少なく暖かい地中海性気候で、ぶどう栽培の大敵であるカビが発生しにくく、ぶどうが病気になりにくい気候です。イタリアは20の州で構成されていますが、そのすべてでワインが作られています。そのため、ワインの生産量は世界トップレベルです。

イタリア固有のぶどう品種は2000種類以上。毎年のように新しい品種のぶどうが生まれています。イタリアでは「ワインは水より安い」といわれるくらい、たくさん作られていて美味しいのです。

そんな大量の種類があるイタリアワインですが、何を選べばいいか悩みますよね。**迷ったら代表的な産地から選びましょう。**フランスはボルドーとブルゴーニュが有名な産地ですが、**イタリアはトスカーナ州とピエモンテ州が有名です。**トスカーナ州のワインはお肉に合うようなしっかりとした赤ワインで、ザ・ワインという感じ。

ピエモンテ州はイタリアを代表する「バローロ」という最上級赤ワインがあります。

フランスでは、創作した料理とワインとの組み合わせによってより美味しく感じられる「マリアージュ」という文化が発展しましたが、**イタリアは地方ごとに**

食とワインを合わせるスタイルでした。だからこそ、イタリアのワインは食とセットで知ることに意味があります。

前章でもお伝えしましたが、南北に国土が長いイタリアは、日本と同じように地域ごとにさまざまな郷土料理があります。地中海サルディーニャ島はイワシが名産ですが、そこのフレッシュな酸味のワインは、イワシとよく合います。

レモンで有名な南イタリアは、カポナータやマルゲリータなどトマトをふんだんに使った料理が有名ですが、これらの料理はシチリアで作られるさっぱりしたワインとよく合います。

北イタリアはお肉メインの料理で、特に寒いピエモンテは煮込み料理が多く重めでスパイシーなバローロなどと合うといわれます。白トリュフも有名ですね。

イタリアは地域ごとにチーズも違います。

パルミジャーノ・レッジャーノのような塩気が強いチーズには、甘みが強いランブルスコが合います。これはどちらもエミリア・ロマーニャ州のもの。

ほかにも、ヴェネト州のものではアジアーゴというチーズとプロセッコというワインがよく合います。チーズとワインの組み合わせも発祥の地域を見ればわかるのですね。

Barolo
Stew
Inzolia
Grillo
Caponata
Italy
Vermentino
Sardines

Wine

眩《まばゆ》い輝きを放つアメリカワイン

フランス、イタリアと長い歴史のあるワインの産地について触れましたが、ここでは比較的歴史が浅いアメリカのワインを見ていきましょう。歴史が浅いといっても、世界的に有名な、ワインの世界に大きな影響を及ぼした土地や銘柄も多く、ワインの話をするならば、理解しておきたいからです。

前述したようにワインの歴史が古い地域を旧世界、新しい地域を新世界と呼びます。旧世界は、先に触れたフランスやイタリア、新世界はアメリカやチリ、オーストラリアなどが分類されています。

今では世界一のワイン消費国になったアメリカ。

当初はイギリスの植民地となったボストンやワシントン、ニューヨークなど主要都市を中心にワイン作りが広まりました。

「カリフォルニアワイン」はよく耳にしますよね。カリフォルニアでワインが広がった背景には19世紀後半に巻き起こったゴールドラッシュが関係しています。

金を求めて世界中から採掘者が集まったのですが、思うように金が採れない人も多く、その人たちは生活が苦しくなっていきます。

その中でワイン作りの知識を持ったヨーロッパ人が、カリフォルニアでぶどうの木を植えてワイン作りを始めました。その後たくさんの移民が訪れたことによって、ワインの需要も一気に高まり、カリフォルニアでワイン作りが盛んになったのです。

世界のさまざまな国でワインが作られていますが、**その中でもとりわけワイン作りに適した理想の地といわれるのが、カリフォルニア州の「ナパ・ヴァレー」です。**そんな理想的な地で生み出されるアメリカワインはどんどん力をつけていきます。

1976年に行われたテイスティング会では、著名ワイナリーやレストランのオーナー、ワイン雑誌の編集長、ワイン行政の要人など、フランスのワイン業界を代表する錚々《そうそう》たるメンバーが参加し、パリとカリフォルニアのワインを目隠し

オーパスワンのラベルには、ロバート・モンダヴィとフィリップ・ド・ロッチルト男爵の2人の横顔が連なっている。

をした状態でテイスティングしました。**誰もがパリのワインが圧勝すると思っていましたが、蓋を開けてみると、カリフォルニアワインの圧勝だったのです。**

このことをきっかけに、ボルドーのムートンという有名なシャトーが、カリフォルニアのロバートモンダヴィワイナリーと一緒にワインを作ります。

これがみなさんも名前は聞いたことがあるであろう有名な「オーパスワン」です。オーパスワンのラベルには2人の顔がありますが、これは「2人が一緒に立ち上げた」という意味。新しい歴史と古い歴史を融合させたようなスタイリッシュなラベルとなっています。

ちなみに、「オーパス」とはクラシック用語で「作品」という意味。「これが交響曲のような始まりになるように」という意味でつけられました。

これを皮切りにいろいろな会社がジョイントベンチャーを立ち上げて、フランスの大物シャトーが次々とカリフォルニアワインの一大生産地であるナパ・ヴァレーに進出したことで、カリフォルニアワインの地位が確立されていきました。

アメリカは世界経済の中心に登りつめる過程で、高級レストランや優秀なシェフが集まりました。それに合わせてワインの需要もどんどん高まったのです。

ワインオークションの売り上げも徐々に上がっていき、ニューヨークが世界最高落札額をどんどん更新していきました。

長い時代を通して見ても、お金持ちはワインに魅力を見出《みいだ》します。変わっていく時代の中にある変わらない普遍的なもの。歴史をまるっと見てみると、ワインはそんなもののように感じますね。

ワインが大切に育てられてきた歴史、フランスの有名なブルゴーニュ地方とボルドー地方の違い、イタリアでは郷土料理のように地域ごとに食と一緒に楽しめる郷土ワインがあること、アメリカの有名なワインの銘柄などを取り上げてご紹介しました。

ザクザクと紹介してしまったので、少しわかりづらかったかもしれませんが、ざっくりとした知識を持つことで、今までと違う見方ができることでしょう。

Wine

偉人も愛したシャンパンが生まれた偶然にも美しい物語

最後にシャンパンについて触れていきましょう。結婚式など、お祝いの席で飲んだことがある人も多いかもしれませんね。シャンパンの歴史にも面白く、豊かなエピソードが詰まっています。

18世紀、お酒は富と権力の象徴になっていました。できるだけ高いワインが求められ、ワインは身分を見せつけるためのアイテムとなります。ボルドー5大シャトーの「ラフィット」や、ボルドーで大変貴重な甘い貴腐ワインの「ディケム」も常にヴェルサイユから大量に発注され、入手困難になっていました。

誰もが一度は耳にし、その華やかなイメージから好む女性も多い「シャンパン」。**実はシャンパンとは、シャンパーニュ地方で作られたものだけを指します。**そのほかの地域で作られた発泡したワインは、すべて「スパークリングワイン」です。

また、シャルドネ、ピノノワール、ムニエの3種類のぶどうなどを使用し、瓶内二次発酵されているもののみをシャンパンと呼びます。

その管理は徹底されていて、[Champagne]（シャンペイン）という名前で活動していた日本のアーティストが、その名前の変更をシャンパーニュ地方ワイン生産同業委員会日本支局から要請され、現在も活動している[Alexandros]（アレキサンドロス）に変更したほど、現代でも厳しく取り締まられています。

時はさかのぼり1683年、ドンペリニヨンというキリスト教の修道士がいました。彼は、巡礼者にワインを売るセラリウス（酒庫係）でした。彼の仕事は、ぶどうの栽培から倉庫管理まで。ただ、彼の担当のシャンパーニュ地方は、寒い場所で、できるぶどうには糖分が少ないため、酸っぱいワインしかできませんでした。そして、寒い地域だったので、春になると酵母が目覚めることによって泡が出てしまうのです。

そんな土地柄のため、ドンペリニヨンが作ったワインからは泡が出てしまうのですが、それがイギリスで人気になります。やがて、ドンペリニヨンは研究を重ね「瓶内二次発酵」を発明したことでシャンパンが生まれました。

その後18世紀になり、シャンパンは多くの有名人にも愛されます。ルイ14世はドンペリを大変愛していました。ナポレオンはモエエシャンドンが大好きでした。ロシアの皇帝アレクサンドル2世はクリスタルを愛していました。**高級シャンパンは、身分を見せつける良いアイテムです。**現代でもシャンパンは私たちを高貴な気分にさせてくれます。

そんな歴史を持ったワインたち。たくさんの知識に触れてみましたが、あなたがワクワクするようなエピソードは見つかりましたか？

「へー！」と思えるものをどんどん増やしていくと、ワクワクする時間ももっと増えていきますよね。

「何か飲みたいなー」と思うワインを見つけられたら、ぜひ行動を起こしてみましょう。

3時間目

クラシック音楽

聴くだけで
磨かれる教養

クラシックは3つの時代をざっくり押さえる

クラシック音楽は歴史も長く、有名な作曲家も多いため、「どこから聴きはじめるか」に迷うという声もよく耳にします。

クラシック音楽をざっくりと理解するためには、3つの重要な時代の特徴を押さえてしまうことが近道です。

3つの時代とは、バロック、古典派、ロマン派です。そもそもクラシック音楽とは、狭義には18~19世紀にかけて、宮廷、教会、サロン、コンサートホールで演奏されたヨーロッパの音楽のことを指します。バロック、古典派、ロマン派は、その前後を含む16~20世紀初頭までに発展した音楽なのです。

バッハやモーツァルト、ベートーヴェン、ショパン、リスト、シューベルト、ドビュッシーなど、挙げればきりがないほど、日本人にとっても馴染《なじ》み深い作曲家たちがこの3つの時代にまたがって活躍していました。

この3つの時代には、誰のために音楽が作られていたのかも変わります。バロックは王族や貴族たちのためにBGMとして求められていました。古典派になると、一般市民に向けてコンサートが開かれるようになります。貴族に雇われていた音楽家もいましたが、ベートーヴェンが「世界初のフリーランスミュージシャン」と呼ばれるように、より現代に近い活躍のしかたになっていきました。この一般市民への広がりは、ロマン派の時代にピアノが普及したことでさらに加速。徐々に家族や仲間内での演奏会も増え、聴くだけでなく、演奏して楽しむ時代にもなります。

バロック

ざっくりいうと……

神、王侯貴族のために作曲・演奏されていた時代

クラシック音楽、ジャズ、ロック、ポピュラーミュージックなど、さまざまな音楽の礎を作った時代。まだ楽器の種類が少なく、大人数のオーケストラがなかったため、ドラマチックというよりは、全体的に優雅なイメージ。バッハ、ヘンデル、ヴィヴァルディなどが有名。

古典派

ざっくりいうと……

一般市民のために演奏されはじめた画期的な時代

ピアノが生まれ、弦楽器や管楽器も改良が進み、オーケストラも定着。交響曲がたくさん生まれます。バロックに比べ、美しく、親しみやすいメロディーが台頭してきます。ハイドン、モーツァルト、ベートーヴェンなどが有名。

ロマン派

ざっくりいうと……

数多くの名曲が続けて生まれたクラシック黄金期

ピアノの普及とともに、一般家庭でも身近にクラシック音楽が楽しまれるようになります。音楽家は王侯貴族に気を遣うことなく、自分の表現を追求できるようになりました。
シューベルト、ショパン、リスト、チャイコフスキー、ドヴォルザークなどが有名。

Classical music

クラシック音楽が感動を呼ぶのは、ときに磨かれたから

したり、ワクワクしたりするそんなクラシック音楽たちに、私たちは幼い頃から親しんでいるのです。

オーケストラの楽器には大きく分けて、弾く楽器（弦楽器）、吹く楽器（木管楽器・金管楽器）、叩く楽器（打楽器）があり、高音で周波数の短いものが手前、低音の楽器が奥に配置されます。

クラシック音楽は、楽器の良さを最大に活かして構成されます。例えばフルートは、妖精のような澄んだ印象を与えたいときに用いられ、トランペットなら勇敢なやる気に満ちた印象を表現できます。ティンパニーを連打する音は、ドキドキ感を与えてくれます。さまざまな楽器の印象を上手に組み合わせて、巧みに作られているのがクラシック音楽です。

私はクラシックって、大きく心が動く音楽のように思います。たくさんの楽器が使われたり、多様な表現方法があったりするからこそ、お姫様になったような気持ちになれたり、言葉が通じなくても万人に同じ感情を伝えたりする力があると感じるのです。

現代にも素晴らしい音楽はたくさんありますが、その中でクラシックとあえて学ぶ意味は何でしょう。

それは、長い歴史の中で受け継がれていることではないでしょうか。さまざまな音楽が生まれ、淘汰《とうた》されてきた中で残ってきたクラシックの世界の広さを感じてもらえると嬉《うれ》しいです。

この章では、クラシック音楽の時代ごとの代表的な音楽家を取り上げていきます。絵画も音楽も、大まかな流れを押さえると、現代まで続いている素晴らしさや、どんなものが残ってどんなものが淘汰されるのか、なんとなく想像がつくようになります。

本書で取り上げている音楽は、動画サイトやサブスクリプションサービスで検索して聴けますので、気になったものは聴きながら楽しんでもらえると幸いです。

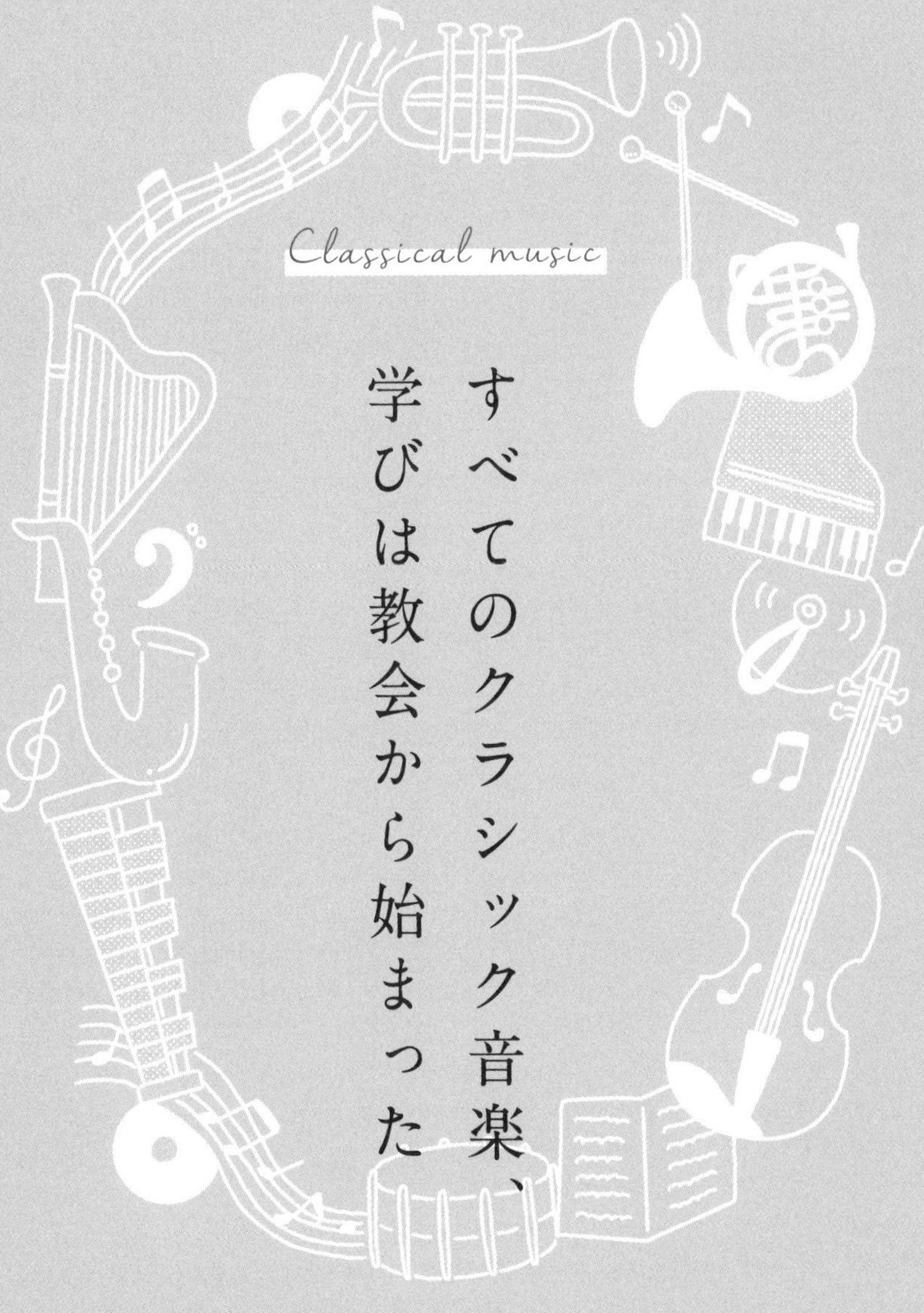

Classical music

すべてのクラシック音楽、学びは教会から始まった

クリスマスが近づくと、私はいつも洋楽のクリスマスソングを聴きます。クリスマスソングって、なんだか特別に気分が上がる気がしませんか？

日本では「クリスマスは恋人と過ごす日」というイメージが定着していますが、海外では家族と過ごす方が多いと聞きます。家族団欒《だんらん》のクリスマス。1年のうちでも、特別な1日ですよね。

映画などで見たことがある人も多いかもしれませんが、**海外ではクリスマスに教会で賛美歌を歌います。まさにこれこそが「クラシック音楽の始まり」だといわれています。**賛美歌、正確には「グレゴリオ聖歌」がクラシック音楽の発祥といわれているのです。

すべての芸術には語り継がれる始まりの瞬間があります。まずは、クラシック音楽の始まりを見てみましょう。

グレゴリオ聖歌とは、無伴奏のコーラスです。言葉を音に乗せて伝えていたんですね。聖書はラテン語で書かれていましたが、グレゴリオ聖歌もまたラテン語で歌われます。

クラシック音楽もワインも西洋絵画も、本書で紹介する数々の教養は、さかのぼるとキリスト教が大きく関係しています。それらは、さまざまな言語を話す多くの人にキリスト教の教えを伝えるのに、大変相性が良かったのです。**「何かを伝えたい」「伝えなきゃいけない」そんなところに文化が発展する可能性があるのかもしれません。**

そして、宗教的儀式には音楽や音響、美術や色彩によって権威を持つ性質があったのです。

ときは7世紀ごろ、ヨーロッパでは領土争いが活発で、さまざまな国がひとつになったり、離れたりしていました。**すると、ひとつの国の中にさまざまな文化的背景を持った人がいるので、みんなが同じ方を向くための考え方として信仰と、リーダーとしての権威が必要となり、キリスト教がその重要な役目を担っていました。**こうして信仰と権威を兼ね備えることによって、多くの市民をまとめていきました。

一般市民にとって学問の機会がなかった当時、キリスト教の教えを広めるために、全国に修道院・学院が設立されました。学院（ラテン語でschola）は、ラテン語の読み書きを教えたり、キリスト教の教義を研究したり、聖書の写本などを学んだりする修道院のことを指しました。これが学校の始まりといわれています。

伝えたいことを正しく伝えるために始まったのがクラシック音楽であり、共通の言語であり、学校というシステムの大元なのです。

現代では義務教育で誰もが学ぶことができますが、こんな恵まれた時代からは想像もできない学校のルーツだと思います。ここに通った人だけがきちんとした賛美歌を歌うことができるようになったわけです。

聖書は以前はさまざまな言葉で書かれていました。より多くの人が読めるようにラテン語に揃《そろ》えられ、ラテン語は公用語となりました。地域によってバラバラの言語で話していた人たちが、一緒に読める共通言語として考えられたわけですね。ちなみに、ラテン語は現代にあまり残っていないのですが、フランス語やイタリア語など、多くの言葉の元になりました。

キリスト教は音楽にも力を入れていたので、さまざまな音楽家も育ち、同じ高さの音で歌うユニゾンが多かった聖歌も、徐々に複雑になっていきました。

そんなときに「楽譜」が重要になっていきます。楽譜の価値も、現代とはまるで違いました。現代の学校の音楽の授業では、先生が楽譜を印刷し、生徒に配りますが、当時は楽譜は秘宝のように大切に保管されていました。そのため、楽譜は王と貴族、そして教会、修道院だけが保管するすごく貴重なものでした。印刷技術も今とは違いましたから、より貴重なものだったのです。

楽譜は歌の解剖図のようなもの。現代でも音を聞き取って同じように奏でる「耳コピ」はかなり難易度が高いですが、楽譜がないとそのきれいな音律がどのように出されているかわかりません。美しい旋律で、それだけで心が揺さぶられるような音楽を研究し、そして出来上がった成果物としての楽譜はとても大切にされていたのです。

こう考えるとみんなが同じ言語を使い、「読める」ということが本当にすごいと思えますよね。文字や音階が読めること自体にあらためて喜びを感じます。音楽という学問を通して、聖書、そして音階を学ぶ。そんな行為が生まれたのですね。

ここからは、音楽の基礎を築いたバロック、天才たちが集った古典派、華やかなロマン派の流れでクラシック音楽を見ていきましょう。バロックは音楽の父・バッハと音楽ビジネスの父・ヘンデル、古典派は天才・モーツァルト、ロマン派はピアノの詩人・ショパンを取り上げます。基礎ができ、天才が極め、新しい世代が華やかにしていく。そんな風にクラシック音楽は発展していきました。

Classical music

音楽の父・バッハとビジネスマン・ヘンデルが現代まで残した足跡

クラシック音楽はキリスト教と密接に関わり発展してきましたが、やがてバロックから一気に活発になりはじめました。

ヨーロッパでは、音楽は元々教会への捧《ささ》げものとして作られていました。教会に仕える作曲家は、聖書をモチーフとした宗教的な曲を作り演奏していたのです。

中世以降、特に王権の強くなった時代にかけて、教会だけでなく宮廷は音楽の発展の場になっていきます。教会で演奏していた作曲家たちは宮廷に雇われ、雇用主である王侯貴族の発注に合わせた音楽を作りはじめます。

その時代を生きたのがバッハやヘンデルです。宮廷での冠婚葬祭や晩餐《ばんさん》でのBGMとして、場を盛り上げる役割を担いました。

学校の音楽室に必ずといっていいほど飾られている音楽家の肖像画ですが、この頃の音楽家はウィッグを被《かぶ》っています。私も小中学生の頃は、変な髪型だと思っていましたが、当時、宮廷ではウィッグが正装だったのです。

宮廷音楽家として高貴な場所に出入りするためには、高貴な服装でなくてはいけませんでした。上流階級のウィッグは、くつろぎ用、乗馬用、家庭用、外出用など用途ごとに分けられていたほど、大切な文化だったのです。

バロックに活躍したバッハの人生を見てみましょう。

バッハはキリスト教の教会に腕を磨かれた音楽家でした。教会で作った音楽は1000曲以上。神に仕えながら粛々と作曲をしていました。

しかし、彼は存命中にはあまり有名にならず、亡くなってからその音楽の素晴らしさが評価され、モーツァルトやベートーヴェンなど多くの有名な音楽家に影響を与えました。小学生が全員歌ったであろう「タララ〜ン、鼻から牛乳〜」でお馴染みの『トッカータとフーガ　ニ短調』も有名ですが、現代においてもピアノ演奏を学ぶ者にとってもっとも重要な曲集のひとつの『平均律クラヴィーア曲集』は彼の最高傑作です。**モーツァルト、ベートーヴェン、ショパン、シューマンなど大音楽家たちも、バッハの曲で練習し、自分たちの曲に活かしています。**

もっともわかりやすいバッハの功績は、「和音」を作って広めたこと。それまでは独立したメロディーが重ねられて、ひとつの曲になっていました（これを対位法といいます）。しかし、バッハは複数の音を同時に鳴らす和音を確立（和声法）。**このバッハの発明こそが、音楽の分岐点となっています。**

バッハは「音楽の父」とも呼ばれ、称《たた》えられています。粛々と作曲した真面目なバッハにふさわしい呼び名ですね。

コツコツと教会や宮廷で音楽を作っていたバッハと対照的だったのがヘンデル。**ヘンデルは音楽でビジネスを行った第一人者です。**縦横無尽に各国を飛び回り、イタリアでは貴族に人気のオペラを量産しました。その後、イギリスへ移り、イタリア語に馴染みのない庶民のイギリス人に向け、演技をせず英語で歌うオペラ（オラトリオ）を発表し、ここでも大ヒット！「ハーレルヤハーレルヤ」でお馴染みの『メサイア』が、その中のひとつでした。

オラトリオは、オペラより簡単に演奏できるので、コストも削減できます。当時、興業ビジネスで多額の負債を抱えていた彼を救ったのもこの曲でした。

ヘンデルは、チケットの販売方法も豪快でした。会員は金属製のシルバーチケットを購入すれば21年間も劇場に通えたのです。**今では常識ですが、入場料を取って公演を行うコンサートビジネスもヘンデルが生んだものなのです。**彼も有名な曲がいっぱいで、表彰式でお馴染みの『見よ、勇者は帰る』もそのひとつです。オペラについてはＰ１３３で詳しく触れています。

音楽の成り立ちを知ることで、クラシックに対する尊敬を感じることができるように思います。この後、クラシックの歴史はどんどん華やかになっていきます。

Classical music

モーツァルトは世界初のアイドルだった!?

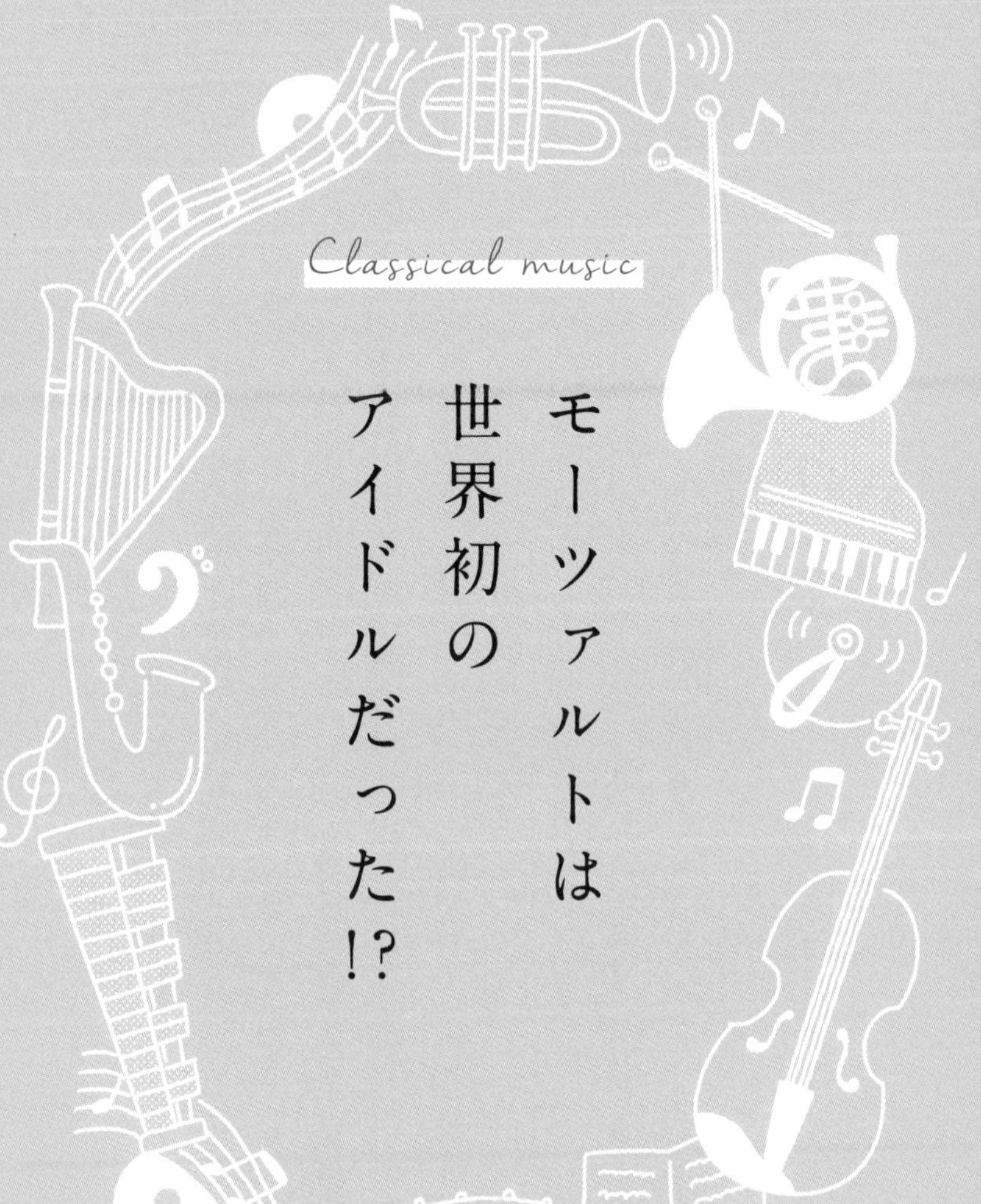

ここでは、日本でも人気のモーツァルトについて学んでいきます。バッハが亡くなった後に生まれたモーツァルトも、音楽の歴史を大きく変えました。彼もウィッグを被っている肖像画が残されていることから、宮廷で音楽を作っていたひとりだとわかります。

モーツァルトはイケメンでとても明るく楽しく、現代でいえばアイドルのような存在だったようです。映画『プラハのモーツァルト 誘惑のマスカレード』には、そんな彼の気さくな性格が描写されています。**歴史の中にはいろいろな偉人がいますが、人生を丸ごと学んだ上で、どこを切り取っていくかによって、その人の印象も大きく変わります。**

彼のあだ名は「神童」。3歳でチェンバロ、4歳でバイオリンを弾きこなし、5歳で作曲。**14歳の頃には同時に9つのメロディーが鳴る合唱（アレグリの『ミゼレーレ』）を2度聴いただけで完全に楽譜に起こしたという話も有名です。**この曲を聴ける教会はバチカン宮殿内のシスティーナ礼拝堂のみで、聴くときには筆記用具を持てない決まりがありました。当時、楽譜は教会に大切に保管されていたので、この曲ももちろん採譜を認められていませんでしたが、モーツァルトは家に帰ってから曲をすぐに書き起こしました。翌年にはその楽譜が出版され、世間に大きく広がったといわれています。**その後も彼は交響曲や管弦楽曲、協奏曲、室内楽曲、歌劇、声楽作品など、あらゆるジャンルを作曲し、どのジャンルにも有名な曲があります。**

音楽家は裕福なイメージがありますよね。それには貴族に雇われながら、華やかにビジネスを広げたことも関係しているでしょう。モーツァルトも父親からお金を稼ぐように言われて育ちました。

元々は教会に雇われていた音楽家たち。モーツァルトもかつてそのひとりでしたが、やがて教会にとどまらず、今でいうフリーランスとして活動するようになります。

今でも「音楽の都」と称されるオーストリア・ウィーン。音楽好きな人が集まるこの地を基盤にすることで、彼はフリーランスとしての活動ができました。専属音楽家としての給与や演奏会への出演料、貴族へのレッスン代、楽譜の出版料、パトロンからの寄付、作曲料などが彼の収入源。いろいろな地域を飛び回って作曲をし、公演して稼いでいました。

プラハで大人気になった『フィガロの結婚』というオペラは、それまでのオペラの常識を覆しました。それまでのオペラはひとりずつ交代で舞台に上がっては歌うスタイルでしたが、彼が作曲した『フィガロの結婚』ではセリフに合わせて音楽が変化し、ひとつの曲の中で美しいメロディーにまとめながらいろいろな人の気持ちを入れて対話させていくやり方でした。

さらに同時期には『アイネ・クライネ・ナハトムジーク』を作曲します。この曲はピアノを習ったことがある人は知っていると思います。明るくて聴いていてワクワクするような曲が多くありますね。

この2か月前にモーツァルトの父が亡くなっているのですが、それ以降、父が言っていたお金のために作曲することが減り、依頼主がいない状態で作曲するようになります。創作に没頭しはじめた彼の作風は、次第に世間が求めるものとかけ離れていきます。収入は減るものの金銭感覚は同じままで、晩年は借金などお金に苦しむ人生を送りました。

それでも彼が世の中に残した音楽は、今もなお聴き継がれています。音楽の歴史を急速に発展させたひとりだからこそ、今日の私たちもモーツァルトの音楽には大きく心を動かされるのだと思います。みなさんもぜひ、神童・モーツァルトの楽曲を聴いてみてください。そして、クラシック音楽はこれ以降、よりきらびやかになっていきます。

Classical music

ピアノの詩人・ショパンの人生が語る数奇な運命

クラシック音楽の歴史の中で一番華やかなのがロマン派です。バロック（バッハとヘンデル）、古典派（ベートーヴェンとモーツァルト）は2人ずつ、それ以降はロマン派と覚えていいくらい、現代まで聴き継がれている有名な音楽家のほとんどがロマン派に分類されます。

ロマン派やクラシック音楽の中でも女性のファンが多いショパンについて、曲とともに彼の人生を見ていきましょう。

彼は「ピアノの詩人」といわれるほど、繊細で素敵な曲を多く残しました。**「リストは大勢に向かって曲を弾くが、私はたったひとりに向かって曲を弾く」と言ったほど、誰かに宛てて作曲する人でした。**その宛先を考えながら聴くと、さらに世界が広がりますし、より身近に感じられるでしょう。

彼は音楽一家に生まれ、7歳で作曲を始め、11歳でロシア皇帝の前で演奏。19歳で音楽大学を主席で卒業します。

郵 便 は が き

料金受取人払郵便

新宿北局承認

8763

差出有効期間
2023年 3 月
31日まで
切手を貼らずに
お出しください。

169-8790

154

東京都新宿区
高田馬場2-16-11
高田馬場216ビル 5 F

サンマーク出版愛読者係行

ご 住 所	〒 都道府県	
フリガナ		☎
お 名 前		(　　　)
電子メールアドレス		

ご記入されたご住所、お名前、メールアドレスなどは企画の参考、企画用アンケートの依頼、および商品情報の案内の目的にのみ使用するもので、他の目的では使用いたしません。
尚、下記をご希望の方には無料で郵送いたしますので、□欄に✓印を記入し投函して下さい。
□サンマーク出版発行図書目録

1 お買い求めいただいた本の名。

2 本書をお読みになった感想。

3 お買い求めになった書店名。

市・区・郡　　　　　　　　町・村　　　　　　　　書店

4 本書をお買い求めになった動機は?

・書店で見て　　　　・人にすすめられて
・新聞広告を見て(朝日・読売・毎日・日経・その他＝　　　　)
・雑誌広告を見て(掲載誌＝　　　　)
・その他(　　　　)

ご購読ありがとうございます。今後の出版物の参考とさせていただきますので、上記のアンケートにお答えください。**抽選で毎月10名の方に図書カード(1000円分)をお送りします。**なお、ご記入いただいた個人情報以外のデータは編集資料の他、広告に使用させていただく場合がございます。

5 下記、ご記入お願いします。

ご職業	1 会社員(業種　　)　2 自営業(業種　　) 3 公務員(職種　　)　4 学生(中・高・高専・大・専門・院) 5 主婦　　6 その他(　　)		
性別	男・女	年齢	歳

ホームページ　http://www.sunmark.co.jp　ご協力ありがとうございました。

そんな彼が学生時代に恋に落ちます。奥手だったショパン。映画『戦場のピアニスト』でも使用された『ノクターン20番』は、ピアノ協奏曲の練習曲として作られましたが、これが学生時代の恋人に捧げた曲です。

ショパンの時代、ロシア帝国下にあったポーランドでは独立運動が活発になっていました。病弱だった彼は戦いにも参加できず、ウィーンに移動し、恋人と離れ離れになります。そんなロシアのワルシャワ侵攻のときにできたのが『革命のエチュード』。怒りや祖国への悲しみがうかがえます。エチュードは「練習」という意味で、この曲は左手を高速で動かしながら、右手で歌うように弾くスタイルで知られています。

『別れの曲』はカンタービレ(「歌うように」を表す言葉)の練習として生まれました。表現力を磨くための曲でしたが「一生のうちでこんなに美しい旋律は作れないだろう」と本人も絶賛していたそう。

さらに24歳で『幻想即興曲』を作曲します。『幻想即興曲』はまさに彼が幻想にしてほしかった、納得できなかった曲で、「死後燃やしてほしい」と言っていました。しかし、この曲が素晴らしすぎてショパンの死後に親友のフォンタナが出版しました。フォンタナ自身も作曲家で、ショパンの生前は彼の楽譜の出版に携わっていました。ショパンの死後、さまざまな海賊版の楽譜が出回ってしまい、ショパンの家族公認の正式な楽譜を出版する際にこの『幻想即興曲』が収録されました。日本では盲目のピアニスト辻井伸行さんが大好きな曲として知られていますが、世界中のピアノ愛好家が「いつか弾けるようになりたい」と思っている曲が、この『幻想即興曲』なのです。

少し曲名が多くなってしまいましたが、ストーリーとともに曲を聴くと、より納得感が深まります。ぜひ検索しながら、楽しんでみてください。

肺結核で39歳で亡くなったショパンですが、彼が作曲したピアノ曲は、今でも多くのピアニストが演奏しています。

バロック、古典派、ここには触れられなかった多くの素晴らしい作曲家や音楽家の中で育まれたショパンの音楽は、時代の荒波の中でも生き残りつづけています。そして、現代の多くの音楽家の目標になるような、心動かす音楽を多く残してきた人でした。

クラシックの面白いところは、作曲者の人生と、演奏する演者の人生、そして、曲がどんな理由で生まれどんな広がりを持つのかという曲自体の来歴、これらを学び尽くすことで、何倍にも自分が感動できるところなのです。

天才たちが築いた音楽の芸術をみなさんはどう感じたでしょうか。次項からは、バレエやオペラ、ミュージカルといった、音楽とともに広がったり、愛されたりしている芸術をいくつか紹介していきます。今まであまり触れてこなかった方も、ぜひ教養のひとつとして押さえてみてください。

Classical music

芸術の革命家・ルイ14世がバレエに与えた知られざる影響

バレエの発展は、ほかの芸術や教養とも深く結びついています。バレエは見たことがないという人でも、芸術全般の深い理解の助けになるのです。

私が初めて「バレエもオペラ座で上演される」ことを知ったのは、パリのオペラ座へ行ったときにたまたまバレエしかやっていなかったからでした。

バレエといえば、ロシアやフランスのイメージが強いですが、実はバレエもイタリア生まれ。ルネサンス時代、オペラと同じ時期に生まれたものでした。イタリアの宮廷内でのダンスとして、王侯貴族が踊っていたことがルーツだといわれます。

イタリア・フィレンツェの「メディチ家」からフランス王室に嫁いだカトリーヌはバレエが大好きで、宮廷でもバレエが盛んに踊られたそうです。そう、それがイタリアからフランスへとバレエが普及したきっかけです。

当時のバレエは、実際に起こった出来事を物語にして上演していました。セリフ・音楽・詩の朗詠も加わったミュージカル的なものだったのです。私たちがイメージするバレエよりも、むしろオペラに近いですよね。オペラとバレエの大本は同じでした。現代でも、「パリ国立オペラ」という団体の中にバレエも含まれています。

今のバレエの体系を作ったのは、フランスのルイ14世でした。彼がいなければ、現代まで続く数々の芸術は、もっと発展が遅れていたかもしれませんね。**私は芸術の勉強をして、ルイ14世に対するイメージが180度変わりました。**

ルイ14世はバレエが大好きで、自分でもバレエを踊っていました。彼はオペラ座を作り、バレエ学校も作りました。**次の章で紹介する絵画の学校も作り、あらゆる芸術が発展する素地を作ったのです。**

ルイ14世が創設したバレエ学校の舞踊教師によってポジションが定められ、バレエがダンスとして体系づけられ、現代のバレエへと繋《つな》がります。演じられる場所も宮廷から劇場へと変化しました。

フランス革命後は、それまで貴族中心だった「宮廷バレエ」から、庶民が主役になる「ロマンティックバレエ」が中心になりました。

「ロマンティック」という言葉ですが、これは「ロマン派」を意味します。ロマンティックという単語には甘いイメージがありますが、「物語が理想化、空想化されて、現実離れしたヒーローが活躍するような、作られた世界観」という意味があります。

イタリア生まれ、フランス育ちのバレエは、ロシアでさらに磨かれます。

フランスから持ち込まれたバレエを積極的に取り入れたのがロシアでした。有名な『くるみ割り人形』や『白鳥の湖』もロシア人のチャイコフスキーが作曲しました。チャイコフスキーは元々役人でした。ロシアはモンゴルの政治的支配下でしたが、17世紀にピョートル1世が西欧化し、日本と同じように独立した文化が発展してきた国のひとつです。

バレエの大本は、晩餐会で見ていた踊りです。そこで、上演の邪魔にならないよう、カトラリーの音を立てないようにするなどテーブルマナーが必要となりました。これがマナーの始まりだともいわれています。

オペラやバレエは、初心者にとってはなかなか難しいものだと思います。でも、好きなものをひとつ見つけて、それを調べていくと、少しずつ知識が増やせて、何年もかけてわかる楽しみが生まれます。

私もピアノをちゃんと習ったことがないし、オペラだってまったくわからない状態でしたが、先に「今年はピアノのコンサートへ何回行ってみる」など、目標を立てて、チケットを買って聴きに行くようにしていました。下調べしなくても、行って体感すると、そこから知識がスムーズに自分の中に入っていく感覚があります。「文化的なことを趣味にしてみたいけどハードルが高い」と感じている人は、まず体感してみることをおすすめしますよ。

Classical music

昔も今もオペラは最高のご褒美

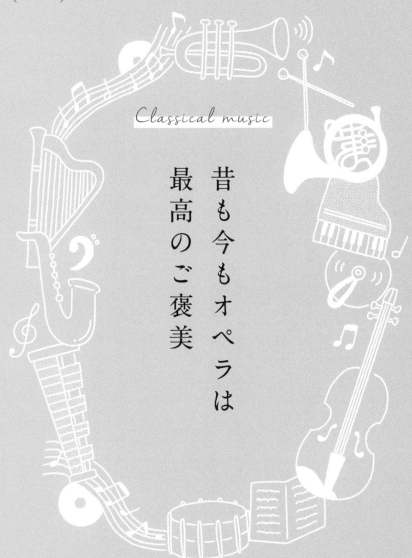

かつてのフランスでは、オペラは演じられる物語の知識がある知識人だからこそ楽しめるものでもありました。**オペラを楽しめることこそが、教養人としての証《あかし》だったのです。**当時の王侯貴族は、娯楽を文化的に楽しめるように勉強していました。**現代でもオペラがわかることは国際的教養人としての証**だといわれますが、今も昔も、しっかり学んだ先に面白さを感じられる芸術なのです。

王や神のためのものだった音楽は、次第に貴族に広がります。音楽は8世紀のグレゴリオ聖歌以降は、16世紀まで宗教音楽として存在しました。なぜなら音楽家のほとんどは教会に雇われていましたし、楽譜も教会が管理していたからです。

そこに大きな変化が起きた時代が16世紀の「バロック」と呼ばれる時代。バッハやヘンデルなどが活躍した時代です。ここでの大きな変化は、「オペラ」が生まれたことでした。

4時間目の西洋絵画の章でも出てきますが、この時期にイタリアでは芸術文化に大きな変化が起きます。「ルネサンス」です。

大まかな流れを説明しましょう。封建社会が安定してきたイタリア（当時はイタリアという国ではなく、たくさんの国がありました）では、地中海貿易を独占していたことでビジネスが活発になります。多くのお金持ちが生まれて、娯楽のオペラが人気となりました。

1600年ごろ、絶大な財力を持ち、芸術を愛したメディチ家によってオペラの先駆けが生まれます。当初のオペラは朗読がベースでした。やがて音楽や劇が少しずつ加えられて、より充実した劇にするため楽器や歌をふんだんに取り込んで、今のようなオペラになりました。

当たり前ですが、当時は映像技術は存在しませんし、印刷技術も未熟だったため、**物語と音楽と演技で魅了するオペラは、最先端で最高のエンタメであり、娯楽だったのです。**ここまではストーリー重視のオペラでしたが、オペラがさらに発展したのは、フランスに渡ってから。

当時のフランスは絶対王政でした。ルイ14世の裁可で王立音楽舞踏アカデミーが発足し、オペラに力が入れられていきます。オペラは発声、楽器、演劇、美術、照明など多くの芸術を総合しているため、総合的芸術といわれます。総合的に美しいものを牽引《けんいん》してきた文化のひとつです。

ちなみに、当時の人々には余暇や休暇という概念が今ほどありませんでした。お金があって、生活の資金があり、余裕があるところにしか余暇は生まれません。そのため、国によって余暇が生まれるスピードが違いました。

たとえばフランス人は、フランス革命が起こるまで重税を払うために働きづめでした。フランス革命後に音楽や絵画が流行《はや》った理由は、多くの市民が余暇を持つことができたからなのです。エンタメが生まれるところには、いつも経済の発展が隣にあるのですね。

映画も漫画もなかった時代に生まれた、最高のエンタメであるオペラ。後にそれが、バレエ、そしてその伴奏が器楽として分類されていきました。

バレエもオペラも、大体は有名な演目が繰り返し上演されていますので、お話の内容を押さえていれば、どの国で見たとしても楽しむことができます。バレエは言葉が必要ないので、体で物語を表現します。オペラはイタリア生まれなので、イタリア語で歌われるものも多いですが、大まかな内容がわかっていれば楽しめます。

先ほど触れたモーツァルトは、『フィガロの結婚』や『魔笛』というオペラを書いています。プッチーニによる『蝶々夫人』や『トゥーランドット』、ヴェルディの『椿姫』も、大人になってから見ると一味違いますよ。

何より、マイクなしで会場全体に響くように研究された、当時から続く声楽の技術も素晴らしいものです。中学や高校の音楽以来触れていないという方は、こちらも人生の教養として楽しんでみてはいかがでしょうか。

Classical music

アメリカで華開いた きらびやかな ミュージカルの世界

さて、ここまでクラシック音楽の教養をさまざまな角度から学んできましたが、「まだまだハードルが高い」と思われる方は、ミュージカルに触れてみるのはいかがでしょうか。

私が初めてミュージカルを見たのは、オーストリア＝ハンガリー帝国の皇后エリザベートの生涯を描いた『エリザベート』でした。それ以来、日本で公演されるときにはいつも見てきました。

ロンドンでは、本場の『レ・ミゼラブル』を見ました。

『ロミオとジュリエット』も忘れられない思い出です。これらすべてが大好きな演目で、1年のご褒美として楽しんでいます。毎回その場限りの演技というところが素敵ですよね。

ミュージカルのルーツは、オペラでした。オペラはやがてアメリカに渡り、ブロードウェイで独自の進化を遂げます。

芸術はビジネスマンが多くいる地の近くで活発になります。1800年ごろの経済の中心はヨーロッパでしたが、1900年代になるとアメリカ、特にニューヨークが経済の中心になります。

アメリカでは音楽業界が活発になり、多くの企業がニューヨークに拠点を置いて音楽出版ビジネスが盛んになります。たくさんのショービジネスで市場を拡大する流れの中で、誰もが楽しめるエンタメとしてミュージカルは発展します。

アメリカでオペラがウケなかった理由は、オペラの題材が基本的に重かったことや、言葉が違ったことによって、アメリカ人には発声しにくかったことがありました。

イタリア生まれのオペラで歌われるのはイタリア語が多かったですし、フランスのオペラはフランス語なだけでなく、王国のお金で運営されていたので、王を称える題材が多かったのです。

オペラは、スピーカーがなかった時代に大きな客席全体に声が届くように独特の発声方法が取られています。筋肉や骨、体の中にある空洞すべてを使って歌います。だから、日常の発声とももちろん違います。

「でも、多くの人に届くようにみんながわかる言葉で届けたい！　だったらスピーカーを使えばいいいじゃん！」ということで、ミュージカルはより普通の芝居に近い歌い方・演技ができるのです。

オペラやバレエでは役割が細分化されていましたが、ミュージカルの場合は、役者が歌って踊れることを求められる上に、毎回違う配役だったりするので手間がかかります。準備期間がかかるので、それを補うために1日の公演数を増やし、ロングランで上演して利益を得られるように工夫されました。オペラやバレエは長時間で大変体力を使うので不可能でしたが、スピーカーなどの技術によってこれが可能になったのですね。

さて、クラシック音楽の章はいかがだったでしょうか。自分が趣味にしてみたいものや、興味を持てるものはありましたか？

わからないことを少しずつ減らしていくのは大変なことですが、どれも一生磨きつづけることのできる趣味になっていくはずですし、そのような趣味を持てると人生がより充実することを覚えていてください。

本章の締めくくりとして、少し別の視点からクラシック音楽への入り口を考えてみましょう。

自分にとって新しい知識に触れるときは、〝きっかけ〟があるといいですよね。

まずは、クラシック音楽を題材にした小説をご紹介します。

〓『蜜蜂と遠雷』恩田陸——コンクールを舞台に美しいピアノ曲に触れる

国際ピアノコンクールを舞台に、コンクールに挑む4人の若きピアニストたちの葛藤や成長を描いた青春群像小説。クラシックの曲はもとより、コンクールがどんな場なのか、そこにかけるピアニストたちの思いなども知れます。全国の書店員の投票で受賞作が決まる、本屋大賞受賞作。

〓『羊と鋼の森』宮下奈都——ひとりの調律師の成長を描く温かな名作

ピアノは、羊の毛のフェルトで作られたハンマーで鋼の弦を叩《たた》くことで音が出ています。そんなピアノの調律師が、ピアノを愛する姉妹や恩師とともに成長していく物語。本屋大賞受賞作品です。

『さよならドビュッシー』中山七里――音楽の力を武器に戦う少女の物語

こちらはミステリー小説。ピアニストを目指す主人公は火事に遭いひとりだけ生き残りましたが、さまざまな事件に巻き込まれます。リストやベートーヴェンなどのさまざまな名曲が登場します。『このミステリーがすごい！』大賞受賞作品。

これらはどれも映画になっているので、そちらも曲名に注目してみることでまた違った楽しみ方ができるはずです。

演奏する素敵なホール空間から入る

海外には素敵なオペラ座が多数ありますが、日本にも素敵な会場はたくさんあります。自分が素敵だと思えるホールを見つけて、足を運んでみるといいでしょう。ここでは私がおすすめするふたつのホールをご紹介します。

「サントリーホール」は「世界一美しい響き」をコンセプトに建てられた、視覚的にも音響的にも日本最高峰のコンサートホールです。ダイヤモンド型の美しいホールは、赤坂という大都会だということを忘れさせる荘厳さがあります。

上野公園にある「東京文化会館」は、1961年オープンの元祖クラシックコンサートのホールです。数々の有名な海外のオーケストラもここで演奏してきました。音響の良さから、海外でも名前が知られています。

4時間目

西洋絵画

失われない
価値の教養

西洋絵画は神から市民へと渡り歩いた

なんでもそうだと思いますが、一度にすべてを覚えようとしてもなかなかうまくいきません。特に西洋絵画は、日本人にとって見る機会も少なかったので、それぞれの時代の画風や画家の名前がごちゃごちゃになってしまうことも多いでしょう。まずは3つに分けて、大まかに理解してみましょう。

宗教画の次に肖像画、風景画の順番で広がったと押さえておくとざっくりと時代が摑《つか》めます。**昔は絵画にヒエラルキーがありました。**

宗教画が一番格式が高く、その次に肖像画、次に風俗画、そして風景画と続きました。たとえば、レオナルド・ダ・ヴィンチの『最後の晩餐』は宗教画なので格式が高く、『モナ・リザ』は肖像画なので次の位になります。そして、西洋絵画の長い歴史のほとんどが宗教画が描かれる時代でした。それ以外の絵が出てきたのは、ごく最近です。昔はこのような考え方が定着していたことを押さえておくと、西洋絵画がより理解しやすくなります。

現在よく耳にする印象派が、その当時一番格式が低いものでした。しかし、現代アートの大本になっているのが印象派です。より自由にアーティスティックに、画家が描くようになった発端です。

誰かが決まりを作る、そして壊す。壊した瞬間は理解されませんが、場所や時代が変われば理解されはじめます。そして、理解が広がり新しいアートが生まれる。西洋絵画は大まかにこのような流れで発展してきたのです。

絵画は…神のもの

ざっくりいうと……

言葉が通じない人々に聖書の内容を伝えた「宗教画」の時代

文字が読める人が少なかったため、聖書に書かれた内容を絵画で伝えていました。

サンドロ・ボッティチェッリ
『ヴィーナスの誕生』

絵画は…貴族のもの

ざっくりいうと……

貴族の権力を伝えた「肖像画」の時代

画家は貴族からの依頼で肖像画を描き、貴族は肖像画に描かれることで権威性をアピールしました。

フランツ・ヴィンターハルター
『オーストリア皇后エリーザベト』

絵画は…市民のもの

ざっくりいうと……

美しい風景や感情を表現する「風景画」の時代

風景だけでなく、事件や文学の一場面なども描かれるようになり、技法やテーマにも広がりが出ます。

クロード・モネ 『印象・日の出』

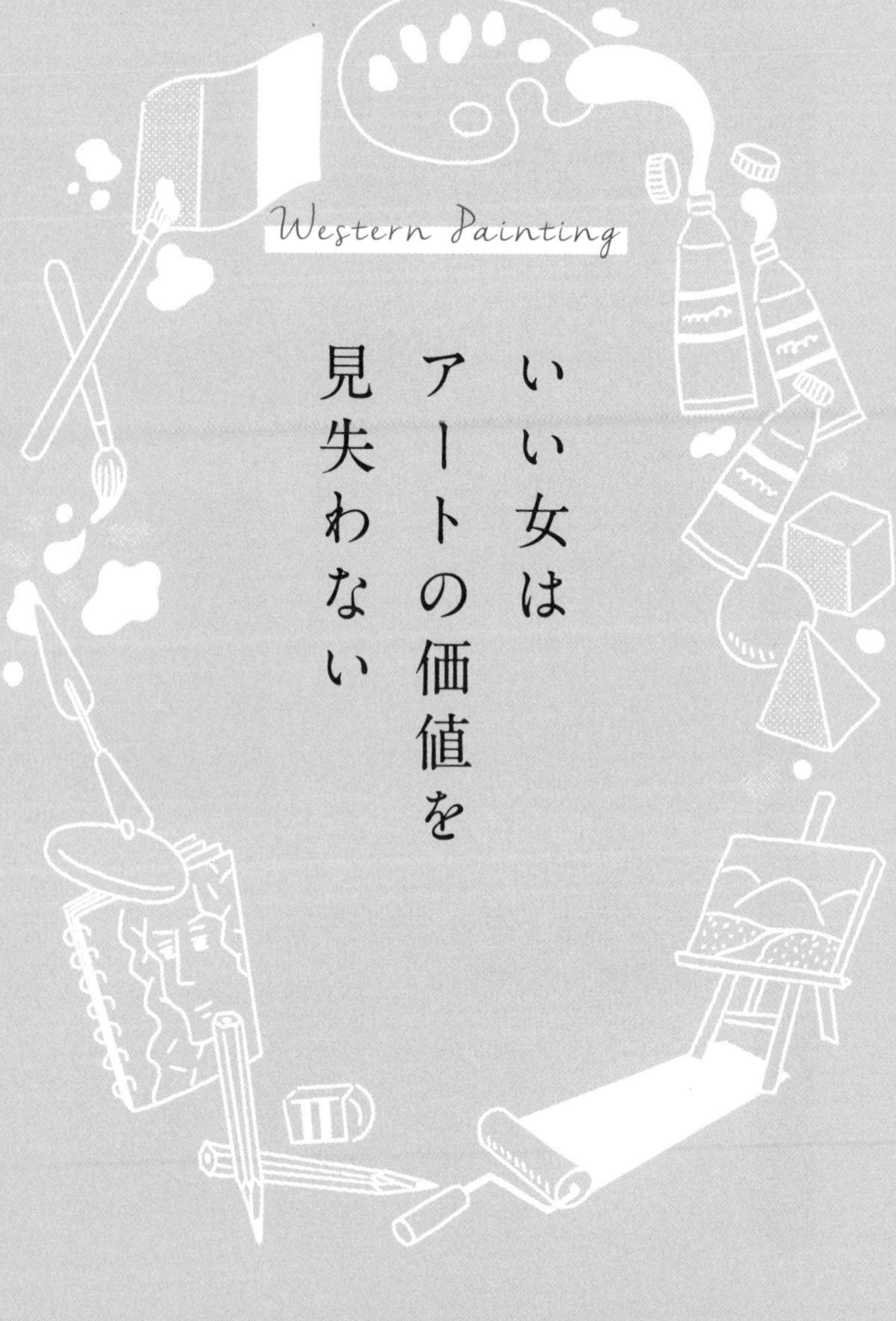

Western Painting

いい女は
アートの価値を
見失わない

ここまで見てきたように、食もワインもクラシック音楽も、単独で発展してきたわけではなく、地形や気候、王侯貴族の興味関心などあらゆる事柄が密接に関わりあって生まれてきた文化でした。当時の常識や社会制度、文化など、どれをとってもその時代でしか生み出せなかったのです。そうしたことが神秘的な魅力を今日に残していますし、ときを超えて感動する文化には、それぞれストーリーがあるのだと実感します。それは、本章で学ぶ西洋絵画も同じです。

西洋絵画を身近に感じられるように、まずは今日までの歴史の大まかな流れを追っていきましょう。

西洋絵画が発達するルーツは教会にありました。聖書が読めない人へ壁画で聖書の内容を伝えていたのです。「ルーツが教会」これもワインやクラシック音楽と同じですね。

2時間目のワインの章でも触れましたが、かつて教会は寄進によって成り立っていました。そのため、大きな壁画を発注するお金を持っていたのです。人々が感動する壁画や音楽を使って、上手にその素晴らしさを広めていました。

やがて布教のための壁画だけでなく、国王や貴族が肖像画を描いてもらうようになり、彼らがパトロンとなって画家に絵を発注するようになります。

しかし、この頃の西洋絵画はまだ閉じられた存在。教会に飾られる絵以外は、貴族以上の身分の人しか見ることができません。

ときは流れて、18世紀にフランス革命が起こり、貴族が衰退していくと、庶民の中からカリスマが生まれました。フランス第一帝政の皇帝・ナポレオンです。国王・教皇・貴族以外で絵が描かれることがなかった時代。彼は一般市民の生まれにもかかわらずスペイン王の依頼により肖像画に描かれ、絵画界にも革命を起こしたのです。当時の絵画は現代でいえば高級車のようなもの。ワインと同様、権力を見せつけるためのツールでした。

詳細を省き、ざっくりと表現すれば、西洋絵画は元々神のものでした。そこから貴族のものになり、市民のものになりました。これは前章で見てきたクラシッ

『サン＝ベルナール峠を越えるボナパルト』ジャック＝ルイ・ダヴィッド
ナポレオンは市民出身で初めて肖像画が描かれた人物。それまで肖像画が描かれるのは、王侯貴族だけでした。

ク音楽の広がりと似ていますね。

また、産業革命をきっかけに管弦楽器が発展するなど、音楽が楽器の発展とともに成長したように、この時期、西洋絵画もチューブ入りの絵具ができたことによって、大きく発展します。

チューブ入りの絵具ができるまでの絵具は、果実や虫などをすりつぶし、粉にしたものと油を混ぜて作っていました。室内でないと肝心の粉が飛んでいってしまうため、持ち運びができなかったのです。そのため、絵画は室内で描かれていました。

しかし、**チューブ絵具が生まれたことで、屋外で絵が描けるようになりました。**そこで画家は室内にはない「光の印象」を捉えて絵を描いたのです。これが印象派の始まりです。

当時の西洋絵画には、ヒエラルキーがありました。歴史画の格式が一番高く、その次に宗教画、肖像画、風俗画、風景画となっていました。外で絵を描けるようになったものの、「外の絵なんて絵じゃない」という考え方が一般的だったため、現在では大人気の印象派も、当時はあまり理解されませんでした。

このように、最新のアートはいつも、「こんなの、どこがいいの?」とその時々を生きる人たちに思われていたのです。これがアートの本質なのかもしれません。

資本主義が生まれた18世紀以降、さらに一般人のお金持ちも生まれます。働くために人が集まり、物を運ぶために道路ができ、集まった人たちの娯楽の施設ができます。人が集まったことで、絵画が展示され、より多くの人が絵画を鑑賞する文化が生まれました。

その後も写真ができたことも絵画に影響を与えます。

現代では、さまざまな場所で絵画を見ることができます。検索すれば、インターネットでも絵画を見ることができますよね。

まずは、好みの画家や興味がある絵などを発見してみてください。シンプルな絵だとしても、その絵画のストーリーを知ることで深く楽しむことができます。

日本画も寺で宗教画が生まれ、殿様に仕える絵師が文化を極め、江戸時代に庶民のための浮世絵が繁栄しました。時代の流れを見てみると、同じような道のりを辿《たど》っていたのですね。

さて、次からはより具体的にイタリア、フランスでの絵画の発展の過程を見ていきましょう。どうしてこれらの地で絵画が発展してきたのかを知ると、さまざまな画家の絵に触れたときに、より一層自分の知識として染み込みやすくなりますよ。

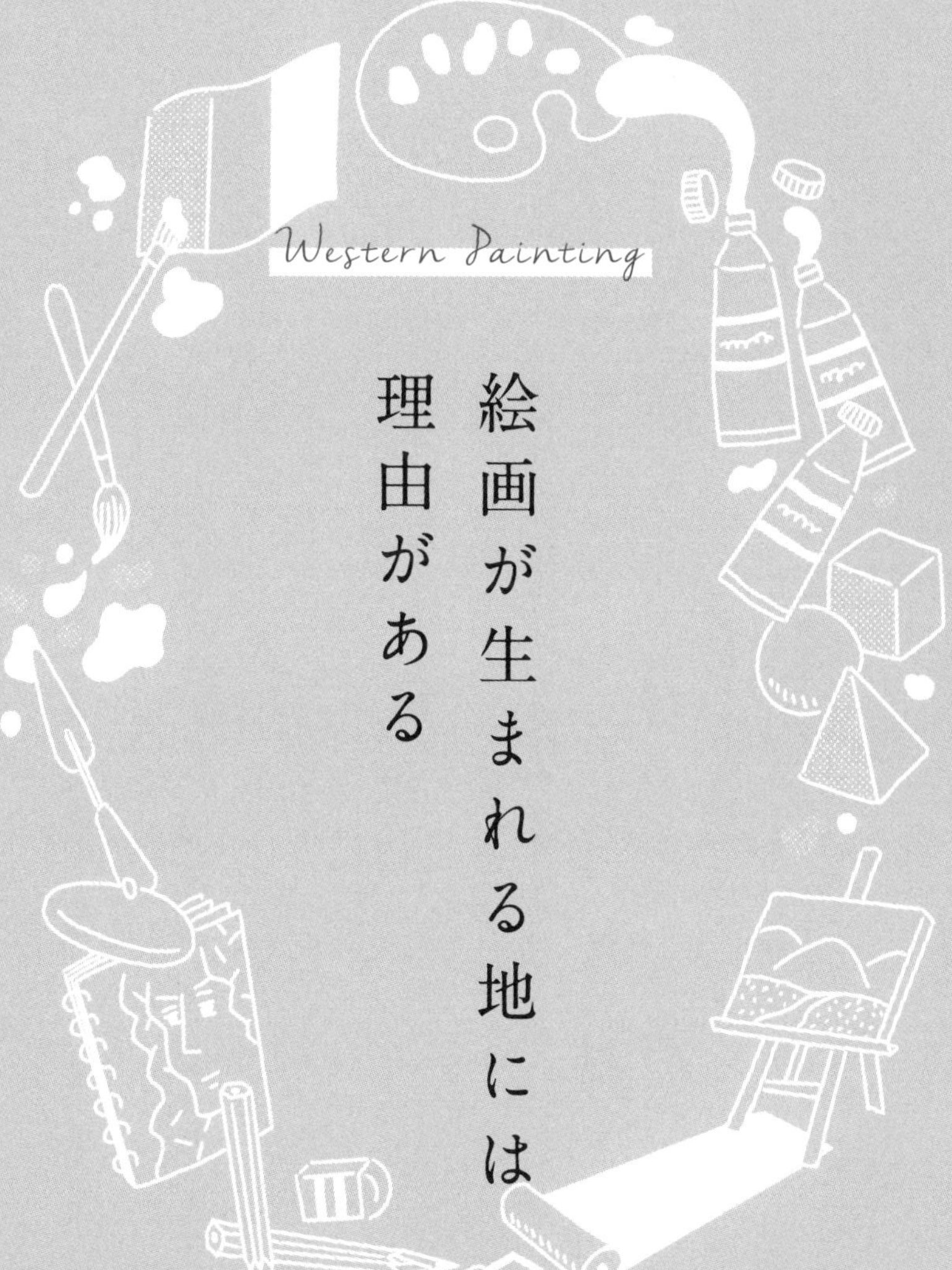

Western Painting

絵画が生まれる地には理由がある

西洋絵画の転機は、イタリアにあります。宗教画の時代が長く続いたのち、ルネサンスの時代にイタリアで絵画の文化が発展します。

ルネサンスの絵画はどんなものかというと、ファミリーレストランのサイゼリヤに飾られている絵画をイメージしていただけるとわかりやすいでしょう。サイゼリヤはイタリア料理店ですから、壁の絵もイタリアのものが飾られています。

今や芸術大国のフランスも、当時は絵画が発展していませんでした。みなさんは、なぜフランスで絵画が発展しなかったと思いますか？

その理由は、**フランスが宮廷を転々と移動する文化だったから。**

1時間目の食の章でも触れましたが、涼しい気候で、痩せた土壌のフランスでは、得られる食材が限られていました。大人数で生活している貴族たちは、大量に食材を消費するので、ひとつの場所に定住していると、どんどん食べ物がなくなってしまったのです。そのため、食べ物がなくなったらまた違う土地に宮廷を移動して、いない間に溜《た》めていたワインや食材を消費し、またなくなったら別の場所へ移動して生活していました。貴族たちが出発すると、その宮殿に残った人々はまたせっせと食材を溜め込んで準備をしていたのですね。

移動時には、必要最低限のものしか運べません。そのため絵画のような巨大なものではなく、簡単に移動できる「タペストリー」の文化が発展しました。

一方、イタリアは移動しなくても彩り豊かな食材が育つし、海に囲まれているため、食材には困りませんでした。**移動しなくていいからこそ、絵画や彫刻などが発展したのです。**

私も以前はたくさん引っ越しをしていて、その度に徐々に荷物が減っていきました。頻繁に引っ越しをしていると、移動するときを考えてあまり物を持たなくなります。最近ではミニマリストという言葉もありますが、ここは今も昔も変わらない感覚なのですね。

フランスのルイ14世は元々ルーブル宮殿に住んでいましたが、後に建てたヴェルサイユ宮殿に生活の拠点を移し、ルーブルには美術品を置いてサロンを開催していました。当時私有財産だった美術品は、フランス革命で国有財産となり、ルーブル宮殿は一般市民へ開かれた美術館に姿を変えました。これが有名なルーブル美術館の始まりです。

クラシック音楽の章でも触れましたが、ルイ14世はフランス以外の芸術を積極的に取り入れて体系化するのが得意でした。イタリアにはいたけれど、パリにはまだいなかった芸術家を育てるため、宮廷ルーブルを美術館にして、芸術家のアカデミーも作り、付属の学校も創設します。

さらにルイ14世は、一般市場で絵を売買することを禁止しました。価値がわかるお金持ちにだけ手に入れられるものにすることで、しっかりと画家のポジションを守りました。ほかのさまざまな職人や商人よりも、画家は稀有《けう》な存在だと認識してもらうための意図的な政策だったのです。その甲斐《かい》あって、フランス絵画は大きく成長したのです。

Western Painting

モネが表現した この世界の華麗な「印象」

ここからは、絵画への関心を持つのに最適な、日本人にも人気の高い数人の画家を例に、美しい西洋絵画の世界をのぞいてみましょう。

まずは日本人にとってもファンが多い印象派から、最重要人物のクロード・モネを見てみましょう。

ルイ14世が絵の学校を作ってからは、そこで学ぶ正しい構図の美しい絵が賞賛される時代が続きました。そんな中で、時代に逆らって新しい絵を生み出したのがモネでした。

1872年にモネが『印象・日の出』(149ページ参照)を描いたことがきっかけで、サロンに出品できず自由な絵を描いた斬新なアーティストたちを「印象派」と呼ぶようになりました。

厳密には印象派にもさまざまな絵画、表現技法がありますが、**まずは「光の印象を捉えた絵」とざっくりと覚えてしまいましょう。**

そんな印象派の出発点ともいえる、モネのルーツを見てみましょう。
モネは幼い頃から絵が得意で、学生時代は風刺画を描いてお小遣いを稼いでいました。そのお小遣いで画塾に通い、ピエール＝オーギュスト・ルノワールに出会います。モネとルノワールはともに貧しくも、画家を目指す仲の良いお友達でした。彼らは揃《そろ》ってセーヌ河の河畔で絵を描きます。当時モネは29歳。絵を学ぶ中で、**「絵具を混ぜずに鮮やかな色を使って表現したい」と思い、ラフなタッチで描く手法を始めます。**これが印象派の特徴のひとつでもあります。

そんな時期にパリの画商ポール・デュラン＝リュエルが絵を買ってくれるようになります。しかし、順風満帆だったのも束《つか》の間、1873年の大不況で事業が落ち込み、サロンでも不人気だったモネは、翌年サロンとは別の展示会を開きました。

サロンは元々ルーブル宮殿で行われており、王立、つまり政府が運営するものでした。そこには基本的に王侯貴族が好きな絵が出品されており、「そこで認められると出世できる」という流れがありました。**当時、風景画は「モデルを使わない安い絵」だとして貴族はあまり好まず、外の風景などの絵を出品するチームが自主的に個展を開催します。それが第1回目の「印象派展」でした。**ちなみに、そのときのリーダーがモネでした。

モネ、ルノワール、ドガ、ピサロなど、現代では巨匠とされる画家が名を連ねていましたが、結果は最悪。彼らは当時のサロンで落選していたこともあり、**評論家には「単なる印象でしかない。壁紙のほうがマシ」と酷評されます。**それにもかかわらず、デュラン＝リュエルは資金のあるかぎり彼らを支えつづけました。

デュラン＝リュエルは自分が持っていた数百点の印象派絵画を持って、１８８６年アメリカ・ニューヨークで印象派展を開催。この印象派展が、ちょうど経済が発展し、美術品を求めていたアメリカ人にぴったりマッチして大盛況！　ここから印象派の人気に火がつきます。

その後モネは、光の印象を大切にしながら、それまでになかった革新的な絵画を描きます。それが有名な『睡蓮』（186ページ参照）です。

『睡蓮』は200点以上存在します。**これらは季節や時間など描かれたタイミングが違うため、それぞれに異なる印象が込められているのです。**

第1シリーズの『睡蓮』には、池に日本風の橋がかかっていることで有名です。彼には『睡蓮』で一部屋を装飾するという夢がありました。白内障にかかってしまい視力が低下しますが、手術を乗り越え、最後の最後まで制作を続けます。

彼が亡くなった翌年にオープンしたパリのオランジュリー美術館では、一部屋丸ごと『睡蓮』が展示されています。

絵に生き抜く画家と、彼らをどこまでも認め支える画商が起こした、大きな流れが印象派だったのですね。

Western Painting

ルノワールの絵画に込められたドラマチックな運命

『シャルパンティエ夫人とその子供たち』ピエール＝オーギュスト・ルノワール

画家に人生があるのと同じように、絵画にも人生があります。1枚の絵を取り巻く人間模様は、実にドラマチックです。

前述したモネのお友達だったルノワール。彼が生計を立てるために、貴族の発注で肖像画を描いていた頃の話です。

ルノワールは37歳のときに、彼のパトロンであったジョルジュ・シャルパンティエのすすめで『シャルパンティエ夫人とその子供たち』という作品をサロンに出品しました。当時の画家は芸術サロンで認められることで知名度を獲得していましたが、ルノワールの場合は、生活のための資金集めという感覚で出品していたようです。

『シャルパンティエ夫人とその子供たち』が目立つ場所に飾られたことで、ルノワールはある人物から絵を依頼されます。

その人物とは、パリのユダヤ人銀行家・ダンヴェール伯爵。彼は可愛い愛娘《まなむすめ》を描くよう、ルノワールに発注します。そうしてルノワールは39歳のときに、当時8歳のイレーヌ・ダンヴェール嬢を描きました。

ときは1880年。**この絵こそが、〝もっとも美しい肖像画の1枚〟と世界で称賛され、ルノワールの代表作ともいえる『可愛いイレーヌ』です。**

陶器のようになめらかで、発光しているかのような白い肌。頰は上品に色づき、栗色の豊かな髪、憂いを帯びた瞳が美しい作品です。

しかしダンヴェール伯爵は「この絵は古臭い」と気に入らず、この絵は使用人

『可愛いイレーヌ』ピエール＝オーギュスト・ルノワール

の部屋に隠されてしまいます。2人はこの絵をきっかけに仲違いしてしまい、ダンヴェール家とルノワールが絶縁するきっかけになってしまいました。

ときは流れ1939年、ドイツ軍がポーランドに侵攻し、第二次世界大戦が始まったこの年、イレーヌは67歳になっていました。戦争が起き、画家の道を挫折したヒトラーは、美術館の建設に力を入れていました。裕福なユダヤ人からたくさんの絵が没収されます。『可愛いイレーヌ』もそのひとつでした。

イレーヌも戦争に巻き込まれます。結婚を機にカトリック教徒になっていたため無事でしたが、彼女の娘や孫はアウシュビッツで亡くなります。

戦争の翌年、奪われた絵は描かれた本人であるイレーヌのもとに返還されました。しかし、その3年後、『可愛いイレーヌ』は競売にかけられます。イレーヌはオークションに絵画を出品したのです。ひどい悲しみの中ですべてを手放してしまいたくなったのか、戦後で生活が苦しかったからなのか、その理由はわかりません。

しかし、印象派の人気は前項で触れた1886年より広がり、ルノワールも有名な画家になっていました。そんな絵に目をつけたのが、美術蒐集家《しゅうしゅうか》のエミール・ゲオルク・ビュールレでした。彼は当時の金額で約2億4000万円でこの絵を落札します。今でもビュールレ・コレクション財団は存在し、世界の有名な絵画をたくさん保有しています。ただしこのビュールレは、戦争のための武器や工業機械で巨万の富を得た人でもありました。

戦争で苦しい思いをしたうえに、その戦争で儲《もう》けた人に大切な絵を売って生きる。そんな人生を歩むなんて、この絵に描かれた当時の彼女は夢にも思いませんでした。イレーヌを生かしてくれたのは、絶縁したルノワールかもしれないし、戦争のために武器を売り、巨額の富を得たビュールレもそのひとりなのかもしれない。ひとつの絵の中には何人もの人生の軌跡が詰まっています。画家だけでなく、絵画自体の人生も時に物語を感じさせるものなのです。

Western Painting

生き方をありのまま描いたゴッホ

日本でも人気の高いゴッホ。彼の名前を聞く機会や自画像を見る機会も多いのではないでしょうか。**ゴッホほど画家の人生を知ることで、作品をより深く知ることができる画家はいません。**

ゴッホの絵はとても力強く、題材は自然や農民など身近なもので、それらをシンプルに描いています。**ゴッホ以前の印象派の画家は、ぼんやりとした印象の絵が多かったのですが、彼はとてもインパクトのある絵を描いたのです。**彼の作品は艶やかで生々しくパワフルな色彩です。特に『ひまわり』（186ページ参照）に顕著ですが、黄色い色彩が印象的です。

ゴッホは37歳で自殺しました。その短い生涯の中で絵を描いていた時期は約10年。たったそれだけの時間で、たくさんの濃密な作品を残したのです。

今ではゴッホの人気は増すばかりですが、彼は生きている間に世間から正当な評価を受けることはなく、生前には1枚しか絵が売れませんでした。それは決してネガティブなことではなく、彼の作品がオリジナリティーに溢《あふ》れていたということの裏付けかもしれません。

ゴッホは1853年にオランダで生まれました。青年時代は職を転々とした後、27歳のときに画家になろうと決意し、描きはじめます。

ヨーロッパ各地を移り住んで農村を描いた画家ミレーを崇拝して、「自分も農民や自然を題材に描こう」と決めました。また、彼の父も祖父もプロテスタントの牧師だったため、彼も敬虔《けいけん》なキリスト教徒でした。そのため「人々の慰めになるような絵を描くことが自分の使命だ」と思い、活動を始めました。

その後パリに住んでいた弟・テオを訪ねたときに、パリでは「印象派展」が開かれていました。そこで見たスーラの絵、日本の美術に影響を受けたジャポニズムの作品などに影響を受けて、ゴッホはめざましく成長を遂げました。

ゴッホの有名な『ひまわり』という作品は、2年間で十数点制作されました。ひまわりは西洋で信仰や愛を表す花。彼にとって特別な花だったのです。

ゴッホは、日本の有名漫画家が集まっていた「トキワ荘」のように、画家が共同生活をしながら作品を作ることに憧れていました。そして、尊敬していたゴーギャンと一緒に住みながら絵を描きはじめます。

ただ、ゴーギャンは「自然をそのまま描くな」という信条を持っていて、空想を題材にした作品を描いていました。

一方で、ゴッホは事実に基づく絵を描いていました。お互い印象派でしたが、絵に対するスタンスもなかなかわかり合うことができず、やがてゴッホの精神状態が悪化し、ゴッホは自らの耳を切り落としてしまうのです。

彼らの共同生活は、たった2か月で幕を閉じました。尊敬していた親友が自分から離れてしまったり、大好きな弟が結婚し、幸せになっていったりしたこともあり、ゴッホの精神はどんどん悪化し、結局精神病院に入院します。これが1889年のこと。

『星降る夜』（左）、『星月夜』（右）フィンセント・ファン・ゴッホ

ゴッホの夜の絵も有名です。ただその精神状態によって全然絵が異なってきます。『星降る夜』はまだ元気な入院前、手前には恋人が2人いて、美しいローヌの河が描かれています。『星月夜』は病院の窓から眺めた夜の絵。

絵画を見ただけではなかなか感動できない人も、**画家がどんなときにどんな思いを抱きながら描いたのか知ることができると、一気にいろいろなことを感じられるでしょう。**

さて、最後に良さがわかりづらいと感じる人が多い、ピカソを見てみましょう。ピカソの絵画の見方がわかると、絵の面白さ、絵を見る価値基準が形作られることでしょう。

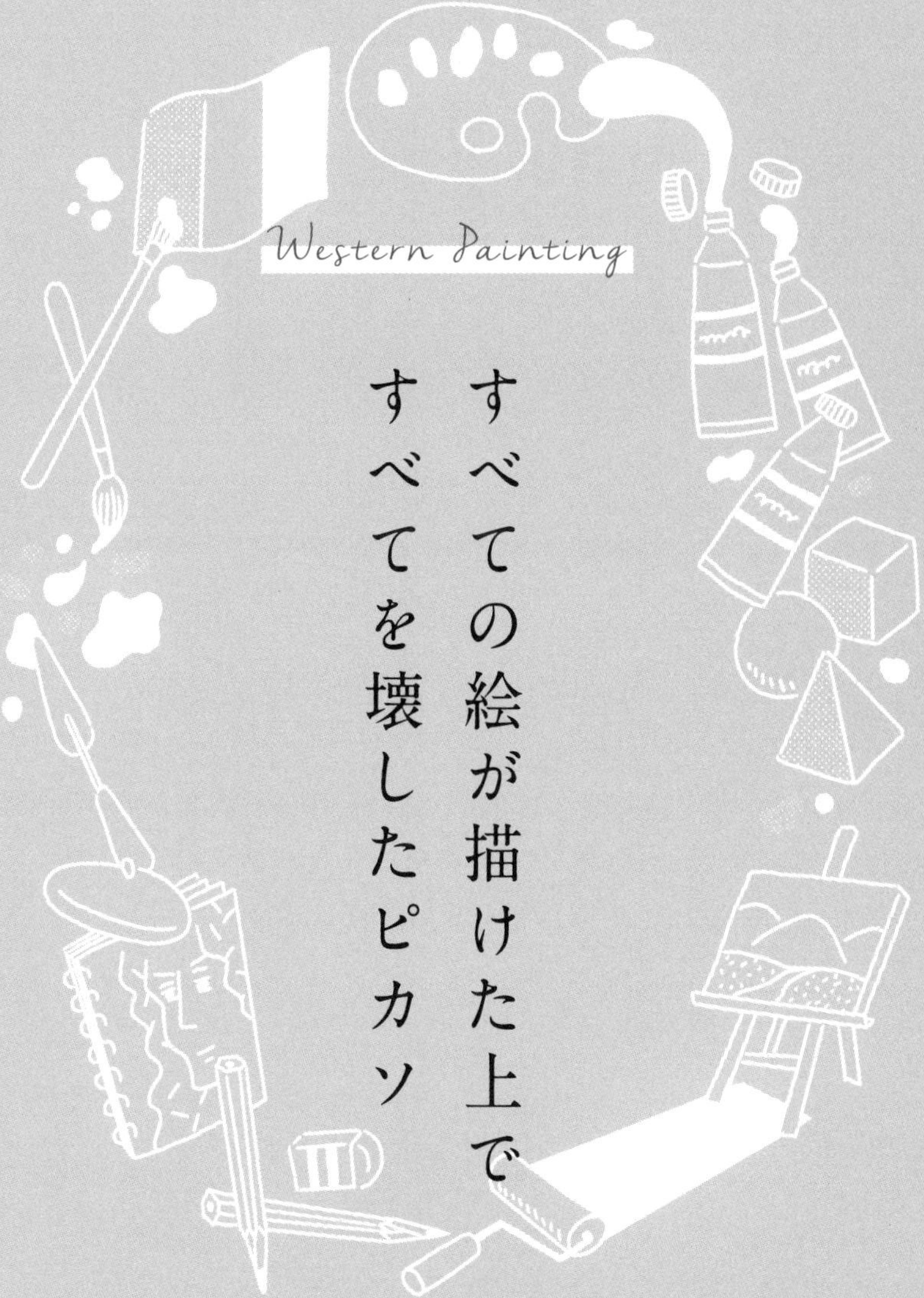

Western Painting

すべての絵が描けた上で
すべてを壊したピカソ

とある作家さんがコラムの中で「ピカソはぱっと見、絵が下手だけど、学ぶとうまいとわかった」と書いていました。私はそのコラムを読んだときにはその理由がわからなかったのですが、後に友人とスペインに行った際、たまたま近くにあったピカソ美術館へ行ってみて、その理由がわかりました。

ピカソは1881年、画家で美術教師の父の家に生まれます。**幼い頃から絵の才能を発揮して、美術の先生だった父から英才教育を受けながら絵の天才として育ちます。**

余談ですがピカソの本名は「パブロ・ディエゴ・ホセ・フランシスコ・デ・パウラ・ファン・ネポムセノ・マリア・デ・ロス・レメディオス・クリスピン・クリスピニアノ・デ・ラ・サンティッシマ・トリニダード・ルイス・イ・ピカソ」という超長い名前。彼の故郷であるスペイン・アンダルシアでは、この長い名前こそが由緒正しい家柄の生まれである証明でもありました。

画家の中では比較的裕福な暮らしの中で育ったピカソは、16歳でマドリードの

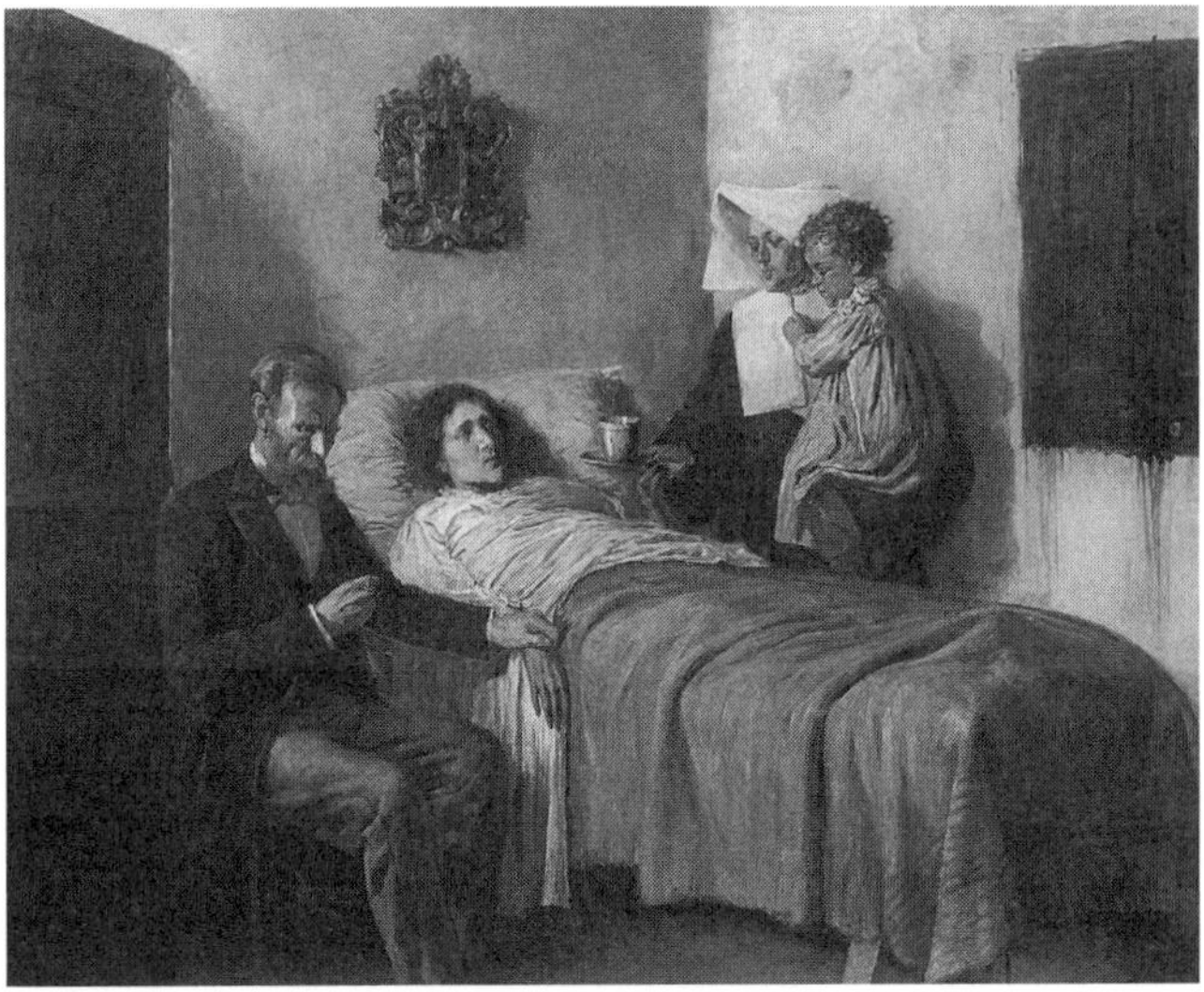

『科学と慈愛』パブロ・ピカソ（ピカソ16歳の作品。マドリードの官展で選外佳作を受賞。マラガの県展で金賞獲得）

美術学校の入学試験に合格します。

「学ぶとは『真似《まね》る』ことから始まる」とよく聞きますが、**ピカソはすべての手法の絵を模写しました。つまり、真似を極めていったのです。**

そうして誰よりも学んだピカソは、どんな絵でも描ける天才へと成長します。そのうえで、自分にしか描けない絵を模索しはじめました。

彼はパリで印象派の絵画を学ぶ中、たったひとりの親友カサジェマスの死をきっかけに、冷たく青みがかった絵ばかりを描きました。この時期は「青の時代」と呼ばれています（P187『海辺の母子像』はこの時期の絵）。

その後も引き続きパリで活動していたピカソは、フランスの人類博物館でアフリカの彫刻や仮面を見て感銘を受け、絵に大きな変化が起こります。この時期に制作されたのが、ピカソの独特の画風で表現している『アビニョンの娘たち』。

本書では西洋絵画の歴史を辿ってきましたが、こうして見るとピカソは随分最近の画家のように感じますよね。ピカソが生きた時代は、もう絵画が出尽くした時代。写真だってあるし、絵に関する手法だっていっぱいありました。そんな絵の技術が飽和している中から新しいことを生み出すのは、容易なことではありません。

すべての絵を完璧に描けたピカソは結局、すべての手法を捨てて「キュビズ

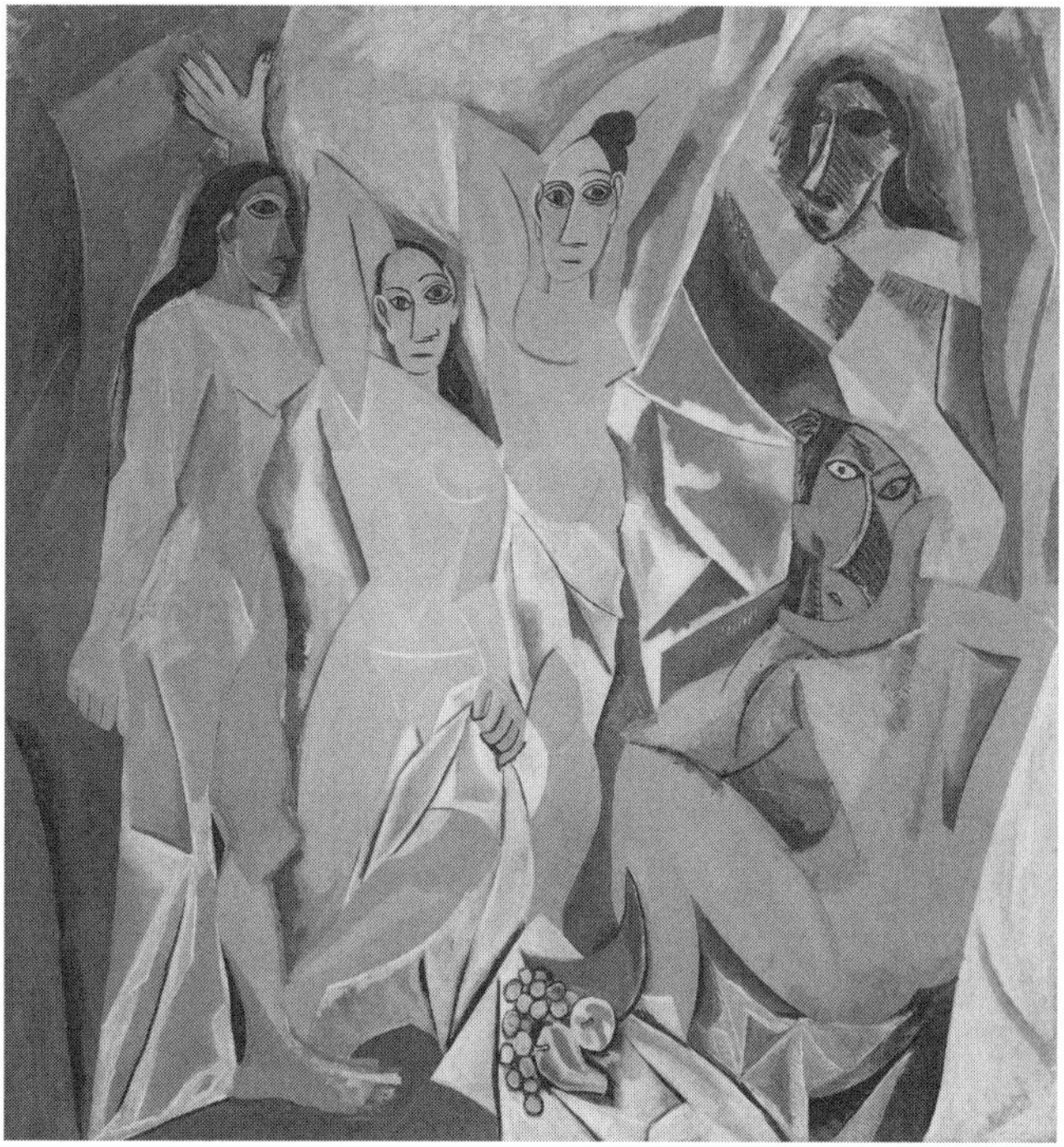

『アビニョンの娘たち』パブロ・ピカソ

ム」を生み出しました。キュビズムは遠近法もない、正しい画角もない、複数の視点から見た物を正面から描く画法です。難解だといわれるピカソの絵は、こんな背景から生まれたものだったのですね。

これはのちに多くの画家に影響を与え、崩れた形の人や絵を描く場合、多くの人がピカソを参考にします。**新しいアートにしていくために崩す、その教科書がピカソなのです。**

崩していく過程では、世間がなかなか受け入れられない場合がありますが、彼の絵に衝撃を受けて学んだより若い画家たちが、さらにピカソの価値を教えてくれるのだと思います。

本章の最後に、ピカソ以上に「わからない」と言われがちな現代アートについても考えてみましょう。難解ですが、それゆえに学びもたくさん詰まっています。個別の作品ではなく、どのように向き合えばいいのか、その考え方のヒントをお伝えします。

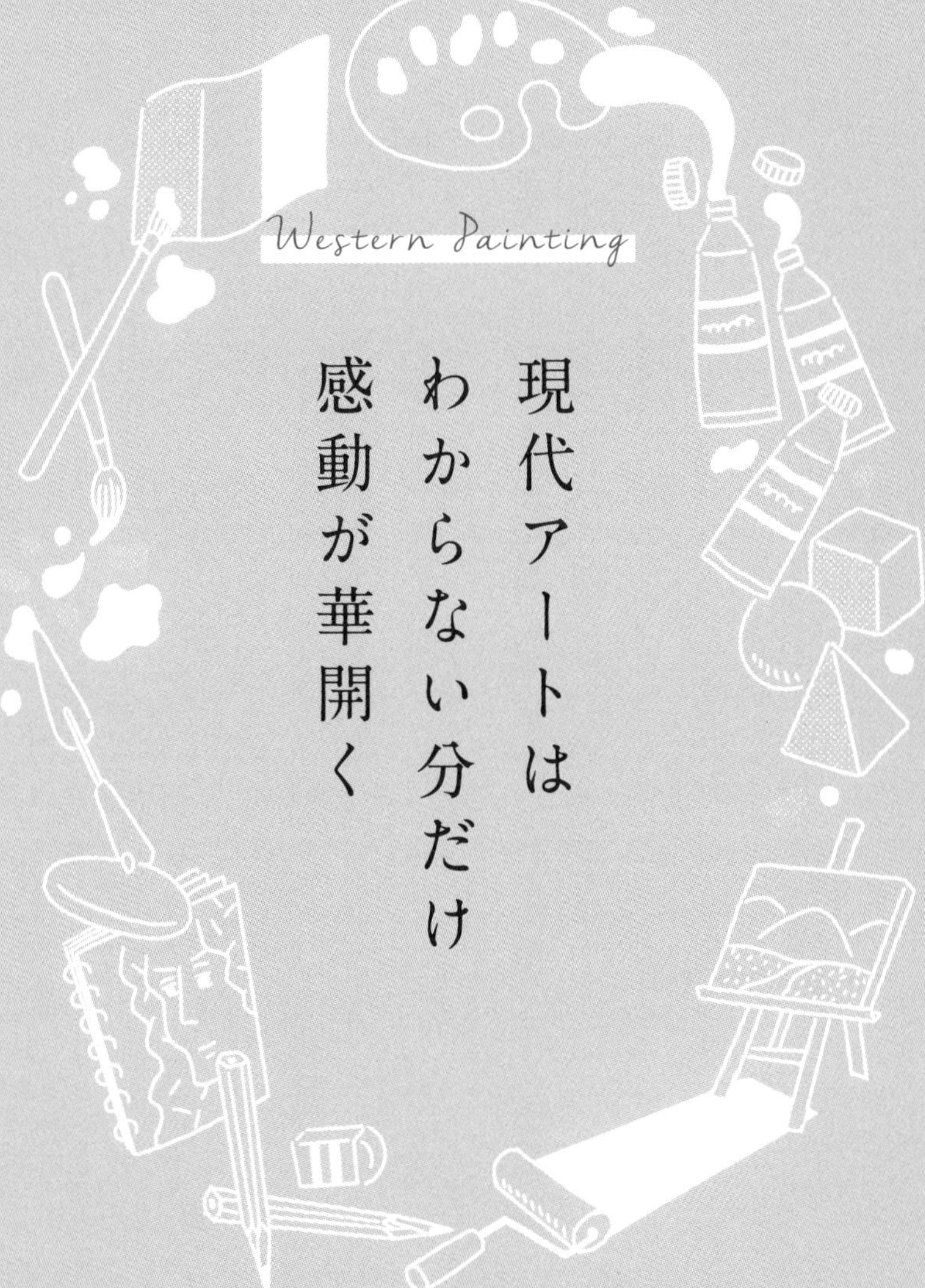

Western Painting

現代アートはわからない分だけ感動が華開く

アートの中でも特に「わからない」と感じる人が多い「現代アート」。しかし、ここまでの大まかな西洋絵画の流れを見れば、現代アートがなぜわからないか、想像がついてくるでしょう。

前述しましたが、ナポレオンが王侯貴族しか描かれなかった肖像画に描かれたときも、印象派が登場したときも、ピカソがキュビズムの絵を描いたときも、その時々の人々は違和感を抱いていたのです。

印象派もピカソも、当時は理解できないもの。それと同じように、私たちが現代アートを見て「わからない」と思うのも当然なのです。

時が経って、後々どんな影響があったか明らかになってきたとき、それが初めて理解されるようになります。こうして考えると、ゴッホが生前1枚しか絵が売れなかったことも少しはわかるような気がしますね。このような歴史というものは、続くほど過去に価値が見出《みいだ》せます。**学ぶほど、感動できるものなのです。**

そして、新しいものは生み出すときに、必ず前に存在する何かを壊さなければなりません。壊されているからこそ、「新しいアート」というものは受け入れられづらいという側面を持っているかもしれません。

そして、**技術と一緒にアートは進化します。**

キャンバスができて油絵が描けるようになったり、チューブ絵具ができて外で絵を描けるようになったり、産業革命で写真の技術が上がって、現実にあるものをそのまま写せるようになったりすると、逆に自分だけの目線で絵を描くようになったり。スプレーがなかったらバンクシーも存在しないことでしょう。

発展してできることが増えるからこそ、新たな大切なものが生まれ、人々がそれに新しい価値を見出す。新しい技術と新しい発想の追いかけっこが続いているのです。

国内で見られる名作西洋絵画

クロード・モネ
『睡蓮』
（DIC川村記念美術館）

モネは長年にわたり、自宅の睡蓮が浮かぶ庭を描き、200点以上に及ぶ睡蓮の作品を残しました。ポーラ美術館、国立西洋美術館などでも見られます。

フィンセント・ファン・ゴッホ
『ひまわり』（SOMPO美術館）

ゴッホにとってひまわりは、明るい南フランスの太陽を象徴しているとされ、ユートピアの象徴であったといいます。
SOMPO美術館の『ひまわり』は、当時の為替レートで約53億円で落札されました。

さまざまな画家の人生や絵の特徴に触れてきましたが、少しでも興味が出てきたら、美術館で本物の絵に触れてみてください。本書では絵画を中心に伝えましたが、彫刻作品や美術館自体の建築など、どんなきっかけでも好みの美術館が見つかると、どんどん楽しくなりますよ。
本章で紹介した画家を中心に国内の常設展（ＳＯＭＰＯ美術館を除く）で見られる名画をピックアップしました。美術館へ通うきっかけになれば嬉《うれ》しいです。

ピエール=オーギュスト・ルノワール『すわるジョルジェット・シャルパンティエ嬢』

（アーティゾン美術館）

ルノワールのパトロン、ジョルジュ・シャルパンティエの娘、ジョルジェットがモデル。ジョルジェットは『シャルパンティエ夫人とその子供たち』（167ページ参照）にも描かれています。

パブロ・ピカソ『海辺の母子像』

（ポーラ美術館）

親友の死をきっかけに、絵から明るい色彩が消えた「青の時代」の作品。ピカソが親友と過ごした浜辺を舞台に、亡き親友への鎮魂の祈りも感じさせる作品です。

彫刻の森美術館のピカソコレクション

91年の生涯で多様な表現方法を追求したピカソの作品を見るなら、箱根まで足を伸ばすのはいかがでしょうか。彫刻の森美術館にはピカソの娘マヤから購入した陶芸作品、絵画、彫刻など300点以上の作品が揃っています。

5時間目

文学

苦悩と色香に惑う教養

Literature

文学は苦しみの先に芽吹く人間性を育てる

本書の最終章として取り上げるのは、文学です。文学は好きな人と苦手な人が分かれる分野だと思いますが、**女性として「人」という存在を理解し、心を広く、思慮深く生きるには欠かせないでしょう。**本書では時代背景を理解しやすい日本文学を見ていきます。

私は元々読書や学校の国語の授業が苦手でした。でも、文学を知っている人にはなりたいと思って、文学作品のあらすじがまとまった本をよく読んでいて、大学も文学部に進学しました。

そもそも学校教育での国語には、漢字や古文など暗記重視の分野と読書感想文や論述などの答えがない分野が混在されていることも、私を含め国語や読書に苦手意識を持ってしまう原因かもしれません。

「文学が苦手」という人からよく聞く意見としては、「文学は暗いから」というものもあります。

たしかに、文学、特に近代文学にはハッピーエンドの物語は少ないような気がしますね。**これは文学が「内面を曝《さら》け出したり、人間らしさを出したりする芸術だから」ではないかと私は思っています。**

明るい部分だけでは真実は語れません。「正しい」ことは大切だと思われがちですが、現実では「正しいけれども、その通りに生きられない」「正しいことはわかっていても、苦しい」そんな感情を抱くこともありますよね。

そんな「人間だからこそ感じる複雑な心情」を題材にしているからこそ、光の部分だけでは文学は成立しないのです。心の闇や葛藤、決断、そんなものが渦巻き、それ自体が芸術として表現される。そのため、読むとなんとなく「暗い」「重い」と感じさせるものが多いのです。

そして、**苦しみが生まれるような制限がある時代だからこそ、名作は生まれます。**いまだに明治、大正、昭和初期の文学を多くの人が読むのは、それらの時代はまだ個人の自由が制限されていて、自由を勝ち取るために当時の人たちがもがき、苦しんできたからなのです。

どんな芸術も時代が大きく変化するときに生まれていますが、日本で文学が発展したのは明治時代。表現の自由が生まれてきた時代です。特に「福沢諭吉が西欧の思想や文化を紹介し、その当時の政治に対して自由民権運動が高まったあたり」と言えば、なんとなくでもわかるのではないでしょうか。

「天は人の上に人を造らず、人の下に人を造らず」

これは福沢諭吉の名言で、現代でも「たしかに」と思える言葉ではありますが、今からたった150年前は、まだ尊王思想で天皇中心の考え方でした。

明治政府は西欧への後れを取り戻そうと一気に改革を進めて、江戸時代の士農工商制度を廃止して、四民平等としました。このときには、身分を超えた結婚が許されたり、職業を選ぶことができるようになったり、住む場所の移動が許可されたりしましたが、逆にいえば、それまではそれらすべてができない時代でした。

結婚や職業、居住の自由が発表されたのは1871年のことですが、その翌年に福沢諭吉は『学問のすゝめ』を出版しています。それまで「学問」は、難しい古文や漢文とされていましたが、福沢諭吉は「実学が大事」だと説きます。実学とは、商売のための実践的な知識のこと。この本は20万部の大ベストセラーになり、その後数年かけて全17編を執筆しました。「しっかり学び自己を確立して、政治に参加しよう」そんなメッセージが、多くの人に共感されたのでした。

まだ江戸の考えが残っている世の中で、この本を書くのは大変な勇気が必要なことですが、近代文学の歴史はこんな風に幕を開けます（ただし、『学問のすゝめ』は論文なので純文学には含まれません）。

本章で紹介している作家は、それぞれ明治・大正・昭和を象徴する文豪たち。時代の流れに沿って紹介していきます。学校では面白いと思えなかった文学も、大人になって別の視点で読み返すと楽しく思えるかもしれません。みなさんの価値観に影響を与え、女性としての深みを増すような切り口でご紹介していきます。

Literature

時代に抗えない葛藤を艶やかに描く
――森鷗外『舞姫』

明治時代より前は、生まれた家柄で将来が決められていました。武士の家に生まれたら武士に、商人の家なら商人にといったように。現代の感覚からすると、不自由なようですが、「将来何をしようか」と考えなくてもいい時代でした。

当時は恋愛も自由恋愛ではなく、結婚は家同士で決めることが普通でした。明治時代になり、藩がなくなり都道府県が置かれ、江戸が東京になり、鎖国で出遅れた分、大急ぎで世界基準の国を作るように政府は焦っていました。**いろいろなことが自由になりましたが、それは建前にすぎず、実際には江戸時代の考え方が根強く残っていたのです。**

そんな当時の日本で、森鷗外はエリート官僚でした。彼は幼い頃から優秀で、5歳で『論語』、6歳で『孟子』を読み、10歳からドイツ語を学びはじめました。14歳で漢学者から漢文の添削を受けるなど、勉強熱心な天才でした。まるで神童と称《たた》えられたモーツァルトのような優秀さです。

1871年の廃藩置県後、彼は父親と島根県津和野から上京します。東京医学校予科に入学したかったのですが、年齢不足で受験できないと知ると、年齢を2歳偽って受験し、実年齢12歳で合格。15歳のとき東京大学医学部に入学し、19歳で卒業。

その後、陸軍の軍医となって、国の命令で当時最先端だったドイツで医学を学びました。ドイツでは華やかな社交界やヨーロッパの芸術に触れ、小説家としても活動を開始。この体験を元に代表作『舞姫』を創作します。

この小説は、国家の中で起こっている葛藤をひとりの青年を通して描いている話です。

自由を与えられながらも、実際は自由に生きられない。そんな手に入りそうで入らない新たな権利と、まだ根強く残っている旧習との板挟みの現実の中で葛藤する時代をそのまま物語に反映させた小説なのです。

あらすじは次の通りです。

主人公・豊太郎は東大を首席で卒業した超エリート。そんな彼は留学先のドイツで踊り子・エリス＝舞姫と恋に落ちます。やがて彼女は豊太郎の子どもを身ごもりましたが、豊太郎は国の命令で日本に戻されることになります。自由な恋愛をして、自由に生きられるはずなのに、国家に従ってしまうのです。それが当時の日本の実情だったわけです。

『舞姫』人物相関図

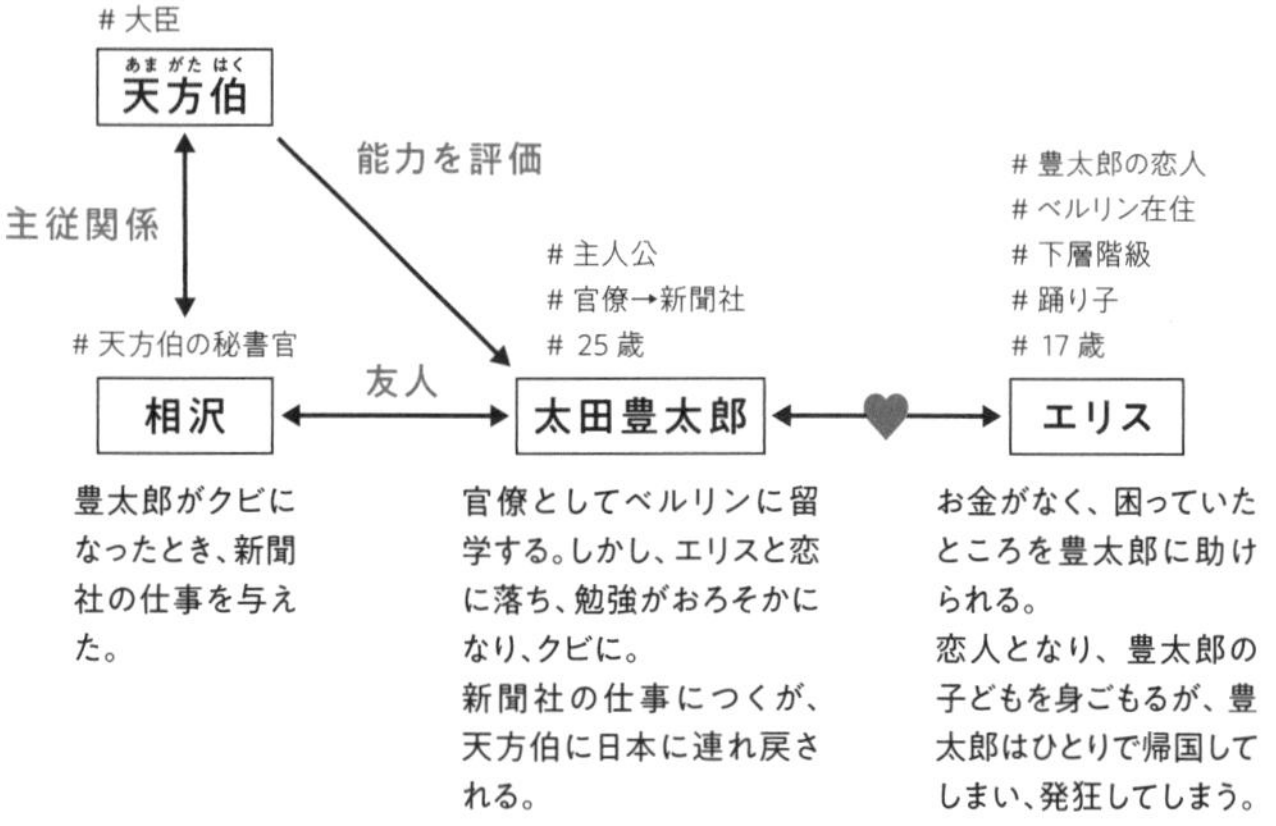

大臣
天方伯《あまがたはく》
能力を評価
主従関係
天方伯の秘書官
相沢
豊太郎がクビになったとき、新聞社の仕事を与えた。
友人
主人公
官僚→新聞社
25 歳
太田豊太郎
官僚としてベルリンに留学する。しかし、エリスと恋に落ち、勉強がおろそかになり、クビに。
新聞社の仕事につくが、天方伯に日本に連れ戻される。
豊太郎の恋人
ベルリン在住
下層階級
踊り子
17 歳
エリス
お金がなく、困っていたところを豊太郎に助けられる。
恋人となり、豊太郎の子どもを身ごもるが、豊太郎はひとりで帰国してしまい、発狂してしまう。

いつの時代にも「常識」があります。現代も現代の常識に沿った自由と葛藤が存在しています。常識に従うことによって、苦しく、悲しい思いを抱きながら生きていかなければいけない人々が生まれてしまう。

『舞姫』は、当時の日本の代表ともいえる存在の豊太郎を通して**「江戸時代の風習を脱出して、新しい自由の中で生きていきたい。でも、実際にはできない」という葛藤を描いているのです。**

名作というものは、どの時代においても通ずる精神的なメッセージがあります。国の中で渦巻く大きな葛藤ととらえると、より大きいスケールの物語に感じられますし、現代でも共感できるのは、一個人の物語としても彼らの気持ちを理解できるからです。人の感情は時を越えても変わらないものです。大きなテーマから小さなテーマまで触れられることが、文学を読む素晴らしさですね。

Literature

文学は時代の変化や空気をも真空パックにしたもの

――夏目漱石『こゝろ』

夏目漱石も森鷗外と同じく、激動の時代を駆け抜けた一人。彼が作家として活躍したのは、わずか12年という短い期間でした。しかし、彼が書いた作品は、そのどれもが今もなお読み継がれています。1000円札の肖像画にもなった日本が世界に誇る作家・夏目漱石の集大成でもあり、もっとも有名な作品のひとつ『こゝろ』は、私たちに多くの気づきを与えてくれます。

あらすじは次の通りです。

主人公・私は、とある男性と出会い、愁いを帯びたその人を「先生」と慕うようになります。そんなある日、私は父親が体調を崩したため帰省。父がいよいよ危ないというとき、先生から自分の生涯についての手紙が届きます。先生は学生時代に親友・Kと下宿をしていました。ある日Kは先生に、「下宿先のお嬢さんである静さんに恋をした」と告白します。しかし先生は、Kを出し抜いて裏で静と結婚の約束をします。しかし、先生はそのことをKに言えず、やがて2人の結婚を知ってショックを受けたKは自殺してしまうのです。先生は罪悪感を抱えながら過ごしました。そんな折、明治天皇が亡くなり、「自分は次の時代についていけない」と静に相談し、先生は自ら命を絶ちます。大正元年に先生は亡くなり、私は手紙でそのことを知りました。

この物語は、普通に読んだら親友同士のドロドロ三角関係物語のように読めるのですが、実は単なる恋愛

『こゝろ』人物相関図

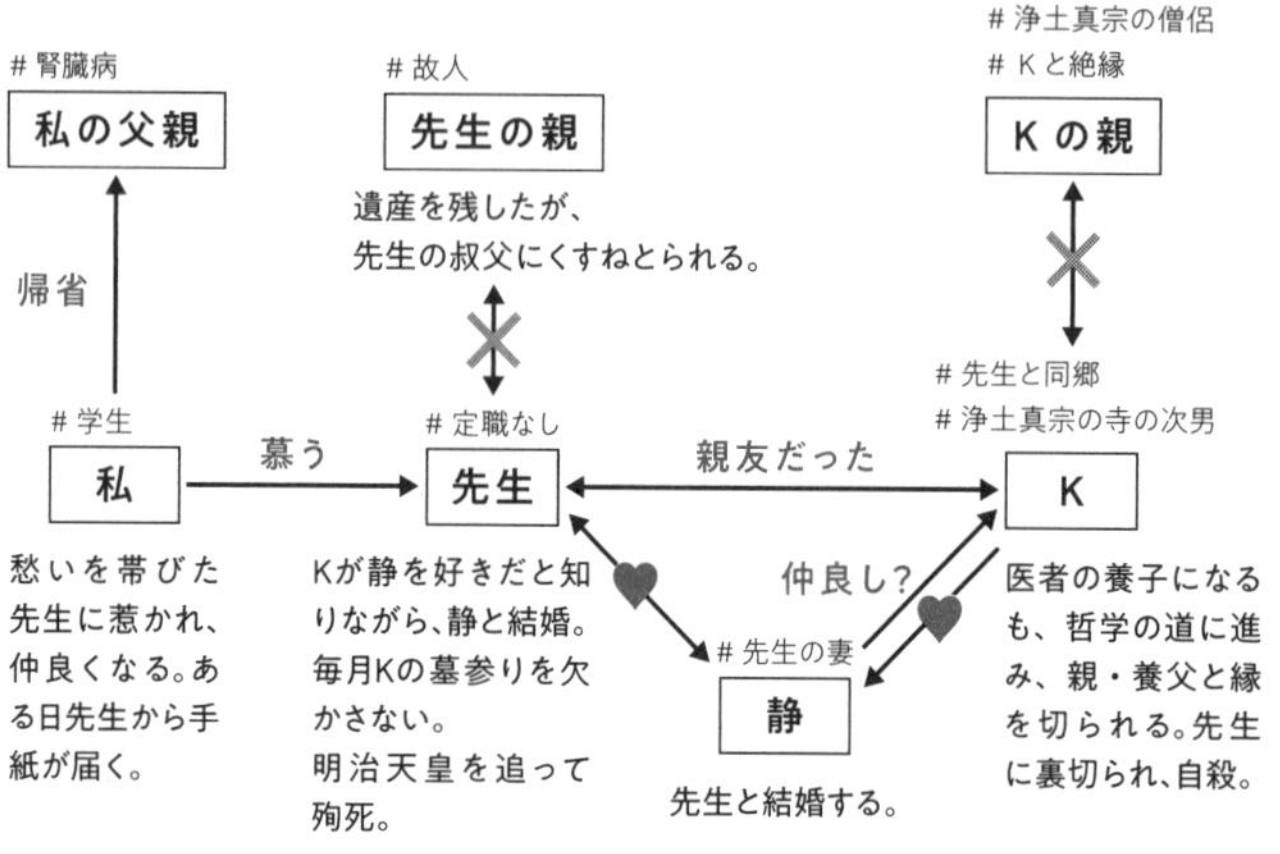

腎臓病
私の父親
帰省
故人
先生の親
遺産を残したが、
先生の叔父にくすねとられる。
浄土真宗の僧侶
Kと絶縁
Kの親
学生
私
慕う
定職なし
先生
親友だった
先生と同郷
浄土真宗の寺の次男
K
愁いを帯びた先生に惹かれ、仲良くなる。ある日先生から手紙が届く。
Kが静を好きだと知りながら、静と結婚。毎月Kの墓参りを欠かさない。明治天皇を追って殉死。
仲良し？
先生の妻
静
先生と結婚する。
医者の養子になるも、哲学の道に進み、親・養父と縁を切られる。先生に裏切られ、自殺。

小説ではありません。

人間関係をうまく描くことによって「お金」「宗教」「愛」「孤独」そして「時代」とは何かという深淵なテーマを書き上げている作品なのです。

『こゝろ』には、実在の人物である乃木希典が登場します。

昨今「乃木坂」といえばアイドルグループを連想するかもしれませんが、乃木坂とは乃木希典の死を悼んで命名された場所。乃木神社には乃木希典が祀《まつ》られています。**彼はこのお話を理解するための秘密扉のようになっています。**

乃木希典は元陸軍大将で、明治天皇が亡くなった後、天皇を追って割腹自殺しました。西南戦争で失敗し、30年以上もそれを悔やんで生きてきた乃木希典。**夏目漱石は、この乃木希典の死をきっかけに『こゝろ』を執筆しました。**『こゝろ』の登場人物は、私や先生、Kなど、全員抽象的な名前なのですが、先生の妻になる「静」だけ明確な名前があります。乃木希典の奥様は「静子」という名前で、ここから取られたといわれています。

この明治末期の時代、自殺にはふたつの考え方がありました。ひとつは「殉死」という考え方。天皇を追う尊い散り方という考え方です。

そして、もうひとつは「天皇のために死ぬなんて無駄死にだ」という新しい価値観。それらが交ざった時代でした。封建社会の時代、割腹自殺は正しい道徳として教えられていました。正しい作法での切腹も地名が変わるほど称賛される、日本国民としてお手本の姿だったわけです。

『こゝろ』は大正になった2年後に出版されました。明治天皇が亡くなると同時に大正へ移り変わり、この道徳の概念自体が変わっていきました。これが先生の死で表現されています。その後、「殉死が正しい」という道徳は教えられなくなったため、この概念が現代を生きる私たちにはなかなか理解できないわけです。

『こゝろ』の先生の死は、明治時代そのものが死んでいくさまを表しているのです。当時の価値観や概念が真空パックで保存されたような一冊なのです。

時代の渦中にいながら、その時代を疑うことはとても難しいことですよね。令和に起きつつある変化を、令和に生きる私たちはなかなか想像できないでしょう。でも、漱石にはそれができていたのです。

明治時代の考え方はきっと批判されると漱石はわかった上で、「私」という新しい時代（大正時代）に生きている青年を主人公という立場において、物語を作ったのです。

私が大正の象徴で、先生が明治の象徴。そして、それぞれの人間関係がその時代をよく表し、それらを上手に使って物語を組み立てています。個人的な物語でありつつも、じつは大きな国の話でもあるのです。漱石はほかの小説でも、じつに巧みに人間関係や時代を表した作品を数多く残しています。

そして彼は、この後に続く多くの作家のお手本となりました。彼がお札に描かれた理由を、少し感じられたのではないでしょうか。

Literature

西洋の価値観を疑い、自分軸で生きるヒントを得る
――芥川龍之介『羅生門』

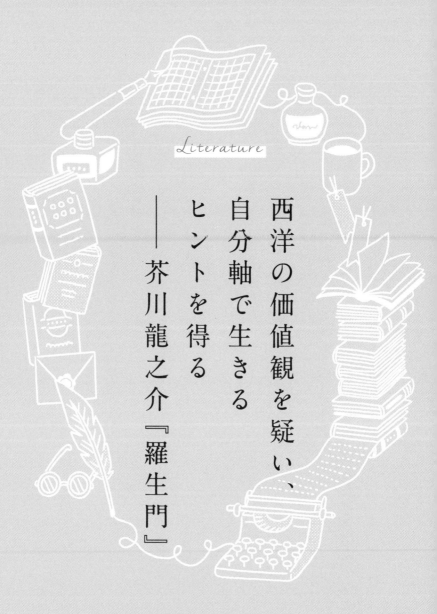

芥川龍之介の作品を一度は読んだことがある人も少なくないでしょう。「何がいいのかわからない」という声もよく耳にします。

芥川の作品は読み方さえわかれば、「これほど深く人の心を描写している作家はいない」と思えるほど魅力に溢《あふ》れています。

1892年に生まれた芥川龍之介は、11歳のときに母が亡くなり、芥川家の養子になります。愛を知らない芥川は、その反動で一生懸命勉強して帝国大学に入学。入学後、23歳で『羅生門』を執筆し、夏目漱石が開いていた若手文学者の会合である木曜会に入ります。そこで夏目漱石に大絶賛されて作家人生が花開きました。そんな芥川の人生を切り開いた『羅生門』のあらすじを見てみましょう。

平安時代末期、荒れ果てた都に溢れた死人が「羅生門」に捨てられているという噂《うわさ》が流れていました。羅生門は、都と外の怖い世界を仕切っている門です。主人公の下人は職を失い、「飢え死にするか、盗人になるしかないか」

とニキビを触りながら悩み、夕暮れ、羅生門の下で雨宿りをしています。そこにはキリギリスがいるくらいでした。下人は羅生門の楼上からぼんやりとした明かりが見えたので登ってみると、そこには死んだ女性の毛をむしり取っている猿のような老婆がいました。老婆に激怒し、刀を抜いた下人でしたが、老婆は「この女は詐欺をしていた女だからこうなってもいい。自分が生きていくためにこの毛をカツラにして売る」と言います。正義感で戦おうとした下人でしたが、下人の中にあった良心が一転し、その老婆の着物を剝ぎ取ってはしごを下り、下人はどこかへ逃げていったのです。

なんだか不気味なお話ですが、主題は何なのでしょうか。

それは、**人間の心は変わりやすく曖昧なものだということ。**正義感に駆られていた下人も、老婆の話を聞く短い時間のうちに、気持ちが大きく変わってしまいました。

老婆は「正当化」の象徴だと思います。生きていくためには死人の毛をカツラにします。またこの死人の女性も詐欺をしていましたが、それは生きるために仕方のないことでした。そこに納得して、下人も生きるために老婆の着物を剥いで逃げた。生きていくための正当化の理由を見つけたのです。

作中には「変わりやすいもの」がふんだんに含まれています。原文を読んでもらえるとわかるのですが、時代は平安末期で、鎌倉時代へと移り変わる頃です。羅生門の下にいたキリギリスは、夏に鳴きますが、秋に生きる虫。夕方という昼と夜の間の出来事。下人の年齢は、ニキビができていることから、思春期から大人になる間。羅生門は都と外を仕切る危険と安全の間。**このようにあらゆることが刻々と変わる中で、正しさという基準を持って生きていく難しさを説いているわけです。**

自分の状況や環境によって、いくらでも判断が変わってしまうのが人間なのです。「悪いことはしたくない」「正しいことをしたい」と思っていても、自分の中の正しさ自体が変わりやすく、曖昧なものだと教えてくれるお話なのです。

明治以前の日本人は、自分の身を削ってでも国や集団のために働く「無我」という考え方が主流でした。明治以降、初めて「自我」が生まれました。そして、自我こそが西洋から入ってきた「新しい社会を実現するために必要なことだ」ともてはやされた考え方でした。

まだほとんどの人が自我なんて感覚を持っていなかった時代に、自我に対する疑問を問いかけたのが芥川龍之介でした。

もし、自我が社会を美しくするのだとするならば、自我自体が完璧に美しいものでなければいけません。でも、現実の人生は、美しいことばかりではない。**「実際の自我は、環境や状況によってすぐに変化してしまうものだ」**という問題提起をしていたわけです。それを『羅生門』という文庫本でわずか11ページほどの短編で表現しています。

前述の夏目漱石は、明治から大正における道徳観の変化や大衆の考え方の変化をテーマに執筆していましたが、**芥川龍之介は、大正デモクラシーにより、徐々に個人主義になっていく時代にもてはやされていた西洋の考え方に対しての問題提起をしました。**

そのため、人間が生きていく生々しさを通して、現代人にとっては当たり前になった西洋の考え方について、考えるきっかけを与えてくれるのです。

大きな流れで近代文学を読み解いていくと、時代がどのように変化していったのか、そしてその時々に生きた人々はどんな気持ちを抱いていたのかをそのまま感じることができます。

この『羅生門』の後に子ども向けに書かれたものが『蜘蛛の糸』という短編小説。悪いことばかりしていると、いいことまで受け取れなくなってしまうという教えを込めたものです。ほかにも、自分より不幸な人を見ていると安心するという心理を描いた『鼻』など、教訓とも取れるような内容が込められた短編がたくさん生まれました。

ただ、芥川は夏目漱石に大絶賛されたことでプレッシャーを抱え、執筆業だけでは生きていけずに英語教官とのダブルワークをしていました。

晩年は義理の兄が経済苦から自殺し、その家族まで養うことになったり、不倫相手が精神疾患になって追いかけまわされたりします。長編は鳴かず飛ばずで最後は朦朧《もうろう》とした状態で作品を書きながら、大量に薬を飲んで自殺します。彼の作家期間はたったの10年。35年の生涯でした。

その後の作家の憧れとなる、人間の弱々しさ、脆《もろ》さを表現する世界観を作った人でもありますが、彼がどんなテーマと戦っていたのかを知ると、現代に生きる私たちの視点にも変化が起きるのです。

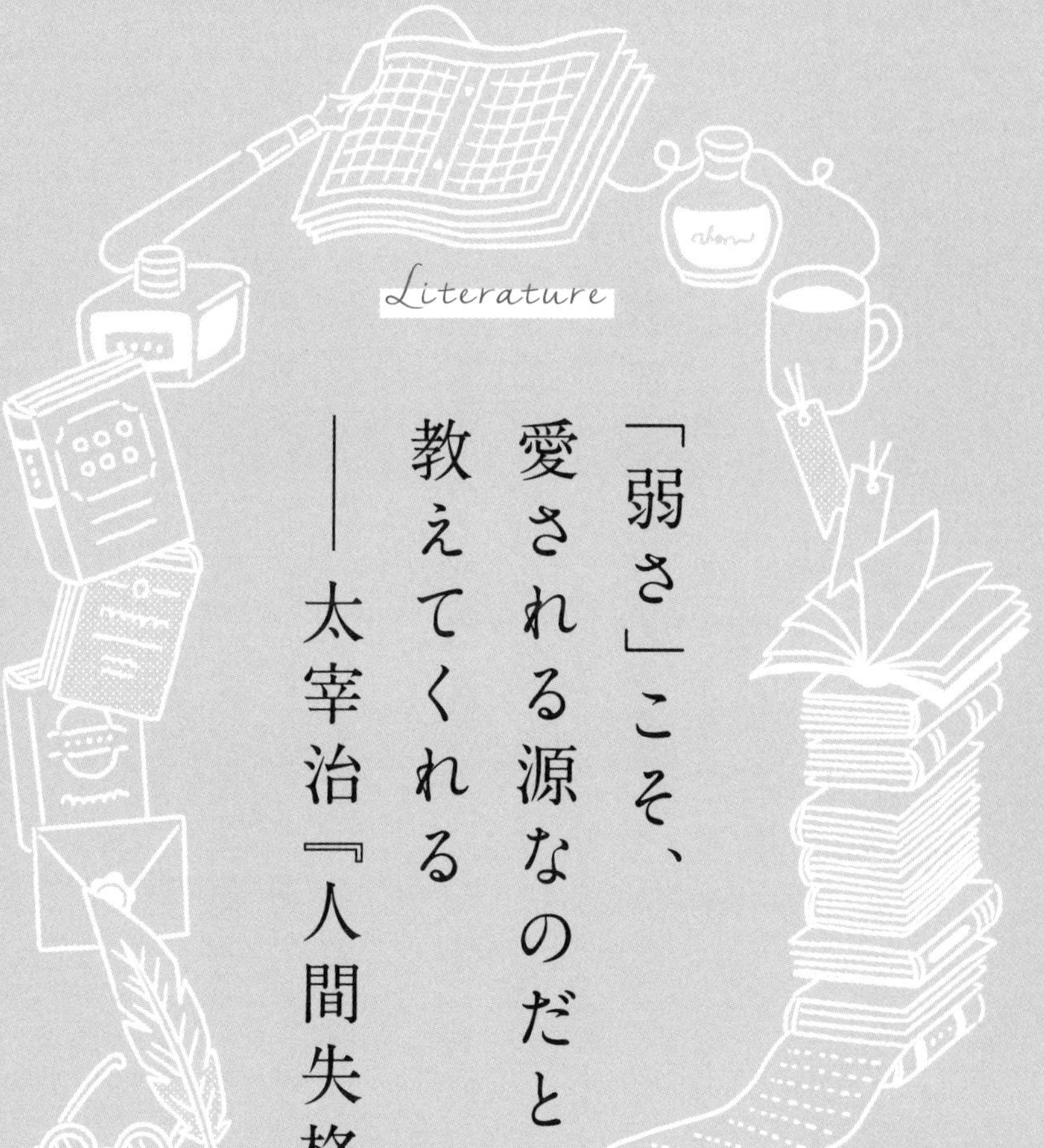

Literature

「弱さ」こそ、愛される源なのだと教えてくれる

――太宰治『人間失格』

前項の芥川龍之介を敬愛していたのが太宰治でした。

芥川龍之介と同じポーズで写真を撮ったり、講演会にも足を運んだりするなど、太宰は芥川の大ファンでした。しかし、太宰が講演会へ行った3か月後、芥川龍之介は薬を大量に摂取して自殺してしまいます。太宰は「これが正しい作家の死に方かもしれない」と思い、彼自身の死生観にも大きく影響を受けました。

日本の文学を語る上で、太宰治に触れずにいることはできないでしょう。有名すぎる『人間失格』は何度も映画化されていますし、彼の破天荒な生き方は、今もなお語り継がれています。**彼は遊び人や女好き、ダメ男などのイメージが先行しているかもしれませんか、彼の生き方ばかりに目を向けるのはとてももったいないことです。**まずは代表作『人間失格』を読み解いてみましょう。

「私」はバーで3冊の手記をマダムから見せてもらいます。その手記を書いたのは大庭葉蔵。葉蔵は、大変裕福な家の末っ子として生まれ、厳格な父から愛情を受けずに育ちました。いろいろなことが怖かったので、ともかくおどけて生活していました。

あるとき、同級生の男子から自分があえておどけて生きていることを見抜かれ、人間不信が加速します。高校時代には酒やタバコ、女、左翼思想などに浸り、出会った人妻と心中しようとしましたが、自分だけ生き残ってしまいます。さらにいろいろな女性にハマるものの、幸せになりかけるとまたそれが怖く

『人間失格』人物相関図

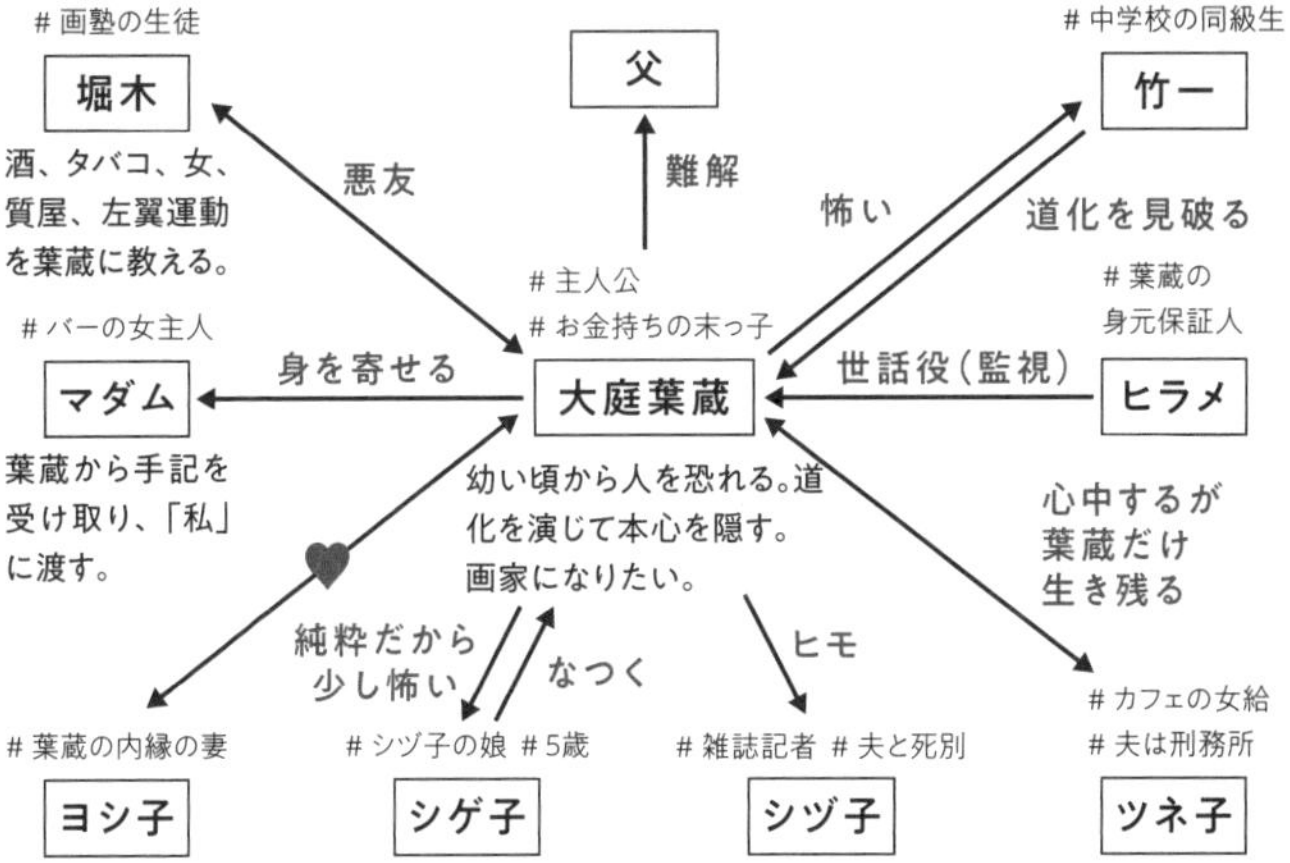
父
難解
画塾の生徒
堀木
悪友
酒、タバコ、女、質屋、左翼運動を葉蔵に教える。
中学校の同級生
竹一
怖い
道化を見破る
主人公
お金持ちの末っ子
大庭葉蔵
幼い頃から人を恐れる。道化を演じて本心を隠す。画家になりたい。
バーの女主人
マダム
身を寄せる
葉蔵から手記を受け取り、「私」に渡す。
葉蔵の身元保証人
ヒラメ
世話役（監視）
心中するが葉蔵だけ生き残る
カフェの女給
夫は刑務所
ツネ子
葉蔵の内縁の妻
ヨシ子
純粋だから少し怖い
なつく
シヅ子の娘 # 5歳
シゲ子
ヒモ
雑誌記者 # 夫と死別
シヅ子

なり、自ら手放してしまうという繰り返しに。

やがて葉蔵は漫画家になり、煙草屋の娘ヨシ子と出会い、純粋無垢《むく》な彼女にひかれ、結婚します。

ある日、ヨシ子は強姦《ごうかん》され、ビクビクして生きていくことに。心を痛めた葉蔵はアルコール依存症になり、父に精神病院に入れられます。父の死後、故郷に引き取られ、生きていきました。

これらの顚末《てんまつ》を記された手記を読んだ「私」は、「葉蔵は精神病院に入れられてもおかしくない」と思いますが、バーのマダムは、「葉ちゃんは悪くない。悪いのは父で、彼は神様みたいないい子だったと思う」と言ったのです。


本書は読後の感想がふたつに分かれるといわれます。読んだ後に「私も人間失格だな」と感じる人、「この人は人間失格だな」と思う人です。どちらにも納得できるような構図で巧妙に描かれた作品だといわれています。

もし、後者の「この人は失格だ」と葉蔵をばかにする気持ちになった人は、も

しかすると自分の弱さや醜さを直視できない人なのではないですか？　人間失格だと揶揄《やゆ》するあなたは人間合格だと言い切れますか？　そんな壮大な問いかけが含まれています。

自分の悪い部分ばかり見つめて書き起こしたとき、誰しもに「人間失格」な部分があるはずです。その反面、他人からは「神様みたいないい子」と見られていたりもします。

この物語は、読者と同じ客観的な「私」のポジションで始まり、締めくくられます。これは、「葉蔵をどう見るのか」という課題を渡されて終わる、**太宰治とのディスカッションのようなお話にも思えます。**

『人間失格』が書かれた当時、日本は第二次世界大戦に敗れたばかりでした。戦争で夫を亡くした女性も多い時代、彼女たちは戦争で亡くした夫を思いながらも、その後も生きていかなければなりません。

「信じたら救われる」そう言われても救われなかった人たちがたくさんいた時代

に生まれた作品なのです。純粋無垢なヨシ子が苦しい思いをしたのと同じように。

人は弱さで愛されると、私は思います。太宰治が今でも愛されるのは、誰よりも自分の弱みを曝け出した人だからではないでしょうか。

「これは精神を病んだ患者の作品だ」とか、病気や酒、強姦などの社会問題を取り上げている作品だと評価されてしまいがちな作品ですが、「それは色っぽくない読み方だな」と個人的には思います。

『人間失格』を太宰治の自叙伝だという人がいますが、実際には太宰の生き方とは異なるフィクションになっています。

太宰の家族への思いを知ると、彼のイメージもまたかなり変わってきます。

彼の晩年の作品『桜桃』が由来となり、彼の命日は「桜桃忌」といわれています。桜桃とはサクランボのこと。『桜桃』はバーでサクランボを食べながら子どもや妻のことを回想する短編です。

太宰治には正妻との間に3人の子どもがいました。女の子2人、末っ子が男の子でしたが、息子は現代の医学でいえばダウン症のような症状を持っていました。当時はもちろんダウン症という言葉すらなく、『桜桃』には「よく食べるが痩せこけて、立てず、話せずトイレもできない。夫婦で長男について深く話し合うことは避けているが、時々彼を抱きしめて川に飛び込んで死にたくなる」というようなことが書いてあります。家庭内では常におどけて見せていた太宰治でしたが、子どもを愛していたと感じられる作品です。

文学とは読み手が何を学ぶかによって、印象が大きく変化します。サクッと読んでしまっては、自己流の解釈しか見出《みいだ》すことはできませんし、偏見があればそれによって本当に伝えたいことが見えなくなってしまいます。

名作は、自分の体験によっても読み解き方が変化します。

学生時代、大人になってから、子育てをしながらなど、人生のさまざまな地点で感動できる内容が変わり、そしていつも新たな発見を与えてくれるはずです。

Literature

異質で異様な時代と愛の本質を知る
――三島由紀夫『仮面の告白』

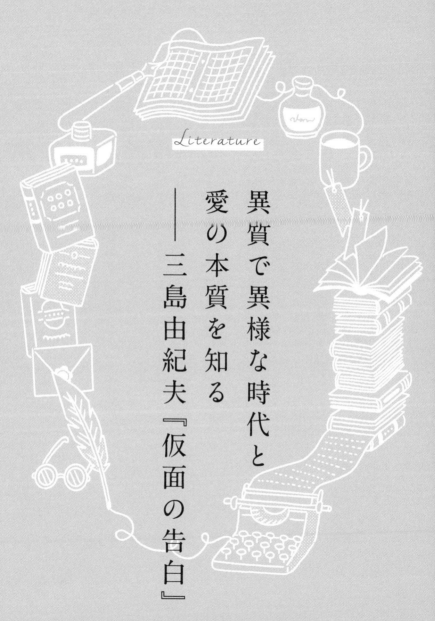

どんな作家もひとりの人で、どんな幼少期を生きていたか、そのルーツが人生を作るのだと思います。日本のみならず、世界的にも高い評価を受けた三島由紀夫は、大変裕福な家庭に生まれました。

彼は13歳まで過保護で独占欲が強かった祖母に育てられます。祖母は三島にたくさんの本を読ませ、三島が危険な男にならないようにと、友達も女の子数人と決めていました。その後、三島を「男らしく育てたい」と思っていた農商務省の父は、三島が熱中していた文学を否定し、かわいがっていた猫も「男らしくない」という理由で捨ててしまいます。やがて父は、個人的に怨《うら》みがあった大蔵省に三島を入れます。三島は後に官僚を辞めますが、「それなら日本一の作家になれ」と父に言われてノーベル文学賞候補にまでなりました。

そんな三島由紀夫の出世作『仮面の告白』の主人公・私は、肌が白くて病弱。祖母に女の子のように育てられます。

裸体の男性が弓矢で刺されている絵に興奮し、初恋も体格のいい男子でした。成長して、周りの友人は女性の裸の話をしているけれど興味が持てず、私が性的に興奮するのは、人が苦しみながら悶《もだ》えている姿でした。

「そんな自分は異常なのか」と疑問に思いはじめた頃、友人の妹の園子と出会い、彼女の人間性を好きになります。「キスをすれば何かが変わるかも」と思ったものの何も感じず、「やはり自分は異常だ」と確信します。結婚の話も出ましたが断ってしまい、園子は別の男と結婚しま

『仮面の告白』人物相関図

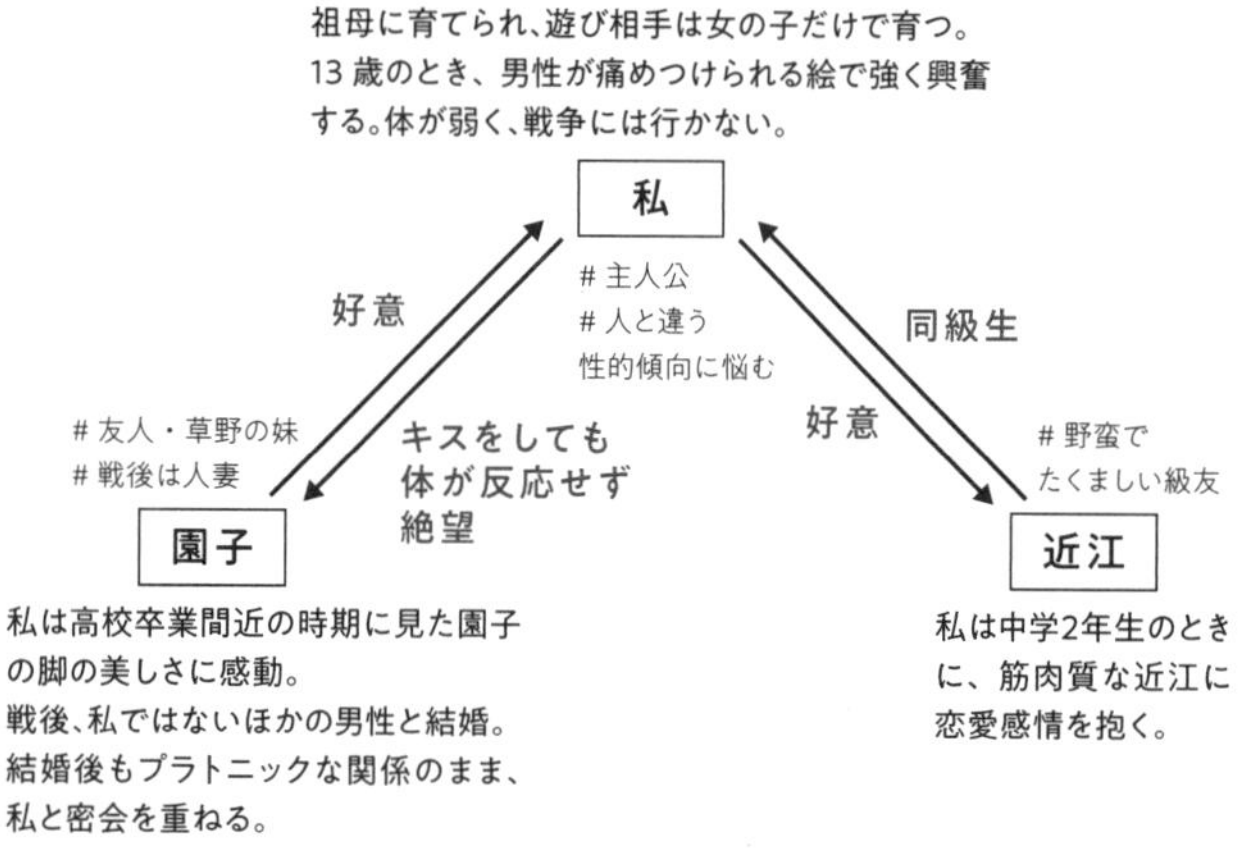

祖母に育てられ、遊び相手は女の子だけで育つ。
13 歳のとき、男性が痛めつけられる絵で強く興奮する。体が弱く、戦争には行かない。
私
主人公
人と違う性的傾向に悩む
好意
キスをしても体が反応せず絶望
同級生
好意
友人・草野の妹
戦後は人妻
園子
野蛮でたくましい級友
近江
私は高校卒業間近の時期に見た園子の脚の美しさに感動。
戦後、私ではないほかの男性と結婚。
結婚後もプラトニックな関係のまま、私と密会を重ねる。
私は中学2年生のときに、筋肉質な近江に恋愛感情を抱く。

した。東大を卒業し官僚になった私は、友人に誘われ風俗に行くものの、体が反応せず絶望的な気持ちになります。

そんなとき、偶然園子と再会します。既婚の園子を誘い、再び仲良くなるものの、やっぱり本当の自分は偽れないと思います。


『仮面の告白』は、主人公の生い立ちや思考も相まって自叙伝的で個人の性的興奮を告白したように読めてしまいますが、そうではありません。

「好き」という気持ちが最後までわからない主人公。その途方もない孤独感を描いているのです。

理性的にならなければいけない局面で、自分の奥底にある衝動・欲望が勝ってしまう。

自分自身に嘘《うそ》をつきながら仮面をつけ、そのことに向き合おうとするが、その仮面はあっけなく取れてしまう。

「あなたの実際の気持ちのうえにつけた世間体という仮面はどうですか？」そん

な疑問を問いかけられる物語なのです。

当時は、まだ同性愛への理解がなかった時代。「正しい愛とはこれだ！」というようにメディアや週刊誌でパッケージ化されていました。

パッケージ化された愛を愛だと思うこと自体が、正しい愛ではないのではないか。誰にも認められていないけれど、自分が本当に内面から欲望的に好きと思うものが、本当の愛なのではないか。三島はそう考え、愛に向き合いました。

大衆の意見に惑わされることによって、仮面を被《かぶ》らなくてはいけなくなるけれども、世間の考え方に惑わされない自分の欲求とは何なのか。それを見つめ直すきっかけになっている作品です。

『仮面の告白』は、作中で第二次世界大戦が起き、終戦と同時に園子が結婚をします。世間の価値観も変わり、新しい価値観に合わせようと葛藤をする主人公の姿が描かれます。それでも「世の中に対して、孤独を感じ、本音を言えずに小説の読者にだけ告白する」という構造が見て取れます。

三島と太宰を対比してみると、また別の見え方をします。三島由紀夫が太宰治のパーティーに出席し、「私はあなたのことが嫌いだ」と言ったという有名なエピソードがあります。

そんな三島に対して太宰は、「ここに来ているということは私を好きなのだろう」と返します。

二人は対極にいるような関係性です。男女関係もそうでした。

三島は貧弱な肉体を抱え、運動音痴で、異性にモテたことがない真面目な文学的天才でした。一方太宰は、幼少期からませていて、女性が放っておけないような男性。生涯、彼と心中したいという人が何人もいて、カフェの女給から博学な女性まで、さまざまな人からモテモテでした。

三島は女性と結婚し3人の子どもがいたので、モテなかった理由を「女性に興味がないから」だと位置づけたのではないか？　という分析もあるほどです。三島が太宰を嫌いだけど、なんだか気になる存在、という意味が理解できますね。

そして、太宰が自分の弱さを最大に詰め込んだ『人間失格』を発表してから1年後、自分の最大の弱さに向き合った『仮面の告白』を出版しました。

そして死も三島にとって大きなテーマのひとつでした。三島は多くの友人が戦地で亡くなりました。虚弱な三島は戦争へ行かずに済みましたが、同世代の若者に対して後ろめたさを抱えて生きていくことになります。これが三島の政治活動の動機だといわれています。

三島は最後、「天皇を中心とする日本の歴史・文化・伝統を守るという建軍の本義に立ち戻るべきだ」と蹶起《けっき》を呼びかける演説をして、自衛隊の市ヶ谷駐屯地で、学生とともに自殺。『仮面の告白』で「世間に自分の内面性の性を誰にも理解されなくてもいい」と、本来自分が持っている美学を発表したのと同じように、全員に見える形で、すべてを告白するような切腹をして亡くなりました。結果的に三島由紀夫も、嫌いだった太宰治と同じように、自殺とともに自分自身を作品にしてしまった人でもあります。

第二次世界大戦を生きた彼にとって、死とは美しいものでもありました。

そして、それが当時の日本の考え方でした。**日本人の価値観は戦後大きく変化しますが、「古きよきものを残したい」という気持ちを作品に込めていくので海外で大変人気でした。**

そして、外国人が翻訳では感じきれない文章の美しさが三島文学にはあります。圧倒的な語彙力で、一切の無駄を省いて書かれる文章。装飾的で華やかな言語の選択、そして論理的です。「数学的」「人工的」と言う人もいます。そんな美しさを味わってみるのはいかがでしょうか。

Literature

100冊読むより心から愛せる1冊を見つける

さて、ここまで文学を学んでみていかがだったでしょうか。**作家がどんな時代を生き、物語や登場人物を通して何を表現しているのかを意識してみると、小説だけでなく、そのほかの作品も見方が変わるでしょう。**

文学は、絵画やクラシック音楽などと違って、さまざまな言葉で登場人物が説明されていきます。「その登場人物が何の象徴なのか」という意識を持って文学を読むことに慣れれば、ほかの芸術作品でも、作品が何を伝えたいのかが少しずつ感じ取れるようになっていきます。

やっぱり読書が苦手という方でも、読書を好きになるコツがいくつかあります。まずは、あらすじを読んでからお話を読むこともおすすめです。ビジネス書や一般書はわかりやすく書かれていますが、小説はさまざまな表現の工夫が凝らされている分、わかりにくく感じることもあります。物語がどんな流れで進むのかわかっていると、小説から置いていかれることもなくなります。

これは文学に限った話ではありませんが、たったひとつでも大好きな作品を見

つけることができれば、そこからどんどん知識を広げることができます。

有名な文学賞を受賞した作品を手に取ってみるのもおすすめです。**読書に慣れていない人が読みやすい順番としては、本屋大賞→直木賞→芥川賞の順番でしょう。**

芥川賞の選考委員は有名で実績のある作家さんばかり。そのため、書いているプロが見て、表現の新しさや独創性を評価する文学賞です。

時代を象徴するような作品も多く受賞しています。たとえば、近年では『推し、燃ゆ』（河出書房新社）という作品が受賞しましたが、これは、自分が「推し」ているアイドルが「燃えてしまう」、つまり炎上してしまうお話。ひとつの時代の象徴であり、歴史の一幕にふさわしい一冊というイメージです。

直木賞は、もう少し理解しやすい内容のものが多くなります。映画でも、青春映画とかコメディーなど、カテゴライズされていると人は物語を摑《つか》みやすくなりますが、直木賞はそのような感じで、笑いあり、涙あり！　のようなものが多いイメージです。本屋大賞は、より読者に寄り添った小説が中心です。

また、自分の興味がある分野に寄り添ったテーマの小説も、いい入り口になります。

たとえば、本書で紹介した教養の中では、絵画と小説は近いと私は思っています。

絵画も小説も、作家の人生やなぜ作品を残したのか、作品自体の性格みたいなものが、それぞれに存在しています。

そういった意味では、小説を読みながら題材となった絵画を見たりすると、より素敵な世界が広がっていきます。

絵画×文学では、直木賞や本屋大賞の候補に何度も上がっている原田マハさんが有名です。マハという名前は、スペインの画家・ゴヤが描いた『裸のマハ』『着衣のマハ』から取っているそう。画家や美術館など、数多くの絵画にまつわる作品が人気を呼んでいます。

本章の冒頭でもお伝えしましたが、私も昔は読書が苦手でした。そんな私が、なぜ本書で文学を取り上げたかったのか。

それは、文学が芸術への理解を深めるために避けては通れないものだからです。

ここまでにさまざまな芸術に触れてきましたが、**「芸術」という単語には「美術と文学」のふたつが同居しているといわれています。**そのため教養として身につけるなら、音楽や絵画だけでなく、文学も押さえておきたいところです。

絵画は、1枚で何億円もの値段がつく作品がありますが、小説は文庫本であれば1冊数百円程度。没後50年以上（2018年末時点で）経っている作家の作品であれば、電子図書館の「青空文庫」で無料で読めます。**レプリカではない、本物の文章を誰でもすぐに手に取れてしまう、素晴らしい芸術なのです。**

文学を読み解くには、時代背景やその当時の価値観や道徳を知ることが大切だという話をしてきました。ということは、**現代にリアルタイムで発表されている文学は、私たちが時代背景を学ばなくてもそのまま受け取ることができるのです。**リアルタイムで、現代の価値観で話を読める。これって素敵なことですよね。

また、後世には淘汰《とうた》されて見つけることができない自分に合った作家を見つけることもできるかもしれません。

ひとつの作品を通してその作家の人生や登場人物の人生、そしてその物語自体が後世に残るか、みんなに評価されるか、淘汰されるかなど、すべてにおいて人生があるというところも、ほかの芸術と同じポイントだと思います。

そして、そんな語れることを持ったとき、人生は一気に充実していくと思うのです。

教養は一生をかけて深めていける いい女のたしなみ

さまざまな教養の知識に触れてみて、みなさんはどう感じたでしょうか。

私はこれまでの著書で「いい女」についてさまざま書いてきましたが、**やはりいい女というのは、触れたものがどれぐらいの価値があるのか把握できている人だと思います。**

美味《おい》しいご飯をごちそうしてもらったり、美味しいワインを飲んだり、一緒に旅行に行ったりするときにも、目にしたもの、手に取るものに価値があるのか、どの程度の価値なのか、それがちゃんとわかっている女性こそ、いい女なのです。

本書で取り上げた教養の中では、食→文学→西洋絵画→クラシック→ワインの順番で勉強しやすいものだと思います。

学ぶうえで大事なのは、身銭を切ること。

誰かにくっついて良い体験をさせてもらうだけでは、あまりその価値を感じられません。自分で稼いで、調べて、予約して、実際に行ってみて体験する。自分のお金で学ぶことで、何十倍も知識が増やせるのです。

自分で料理をする人はきっと、ご飯屋さんやおもてなしされた席でも、料理を出されたときにすぐ食べてほしい気持ちがわかると思います。

熱々の一番美味しい状態で料理を出せるように、作る側はさまざまな準備をしていますよね。料理になかなか手をつけないことはなくなると思います。

また、美術館やコンサートも、自分で予約していれば、それがどれくらいの手間なのか、どれくらいの価格で、どれくらい予約が取れないものなのか、肌で感じることができます。

このように、自分がまず動いて体験しておけば、素敵なエスコートを受けた際にも、より感謝できるようになります。

大人になってから、自分のお金で習い事をすることで、知識も感謝も広がります。子ども時代の習い事はなかなか続けられず、嫌々通っていたけれど、大人になって自分でレッスン費を出して通ってみると、「両親はこんな思いをして習い事をさせてくれていたんだ」と気づくことがあると思います。それとまったく同じで、自分で価値を見出《みいだ》すために自分のお金で勉強することをおすすめします。

永く愛される女性になるためには、お金も賢く使わなければいけません。

たとえば私は、洋服にはお金をかけないと決めています。最近ではすごく安いブランドでも質の良いものがたくさんありますし、私は韓国の洋服が好きなので通販サイトで数千円のものを買って、自分の体にフィットするものを選ぶようにしています。**自分の中でどんなものにはお金を使って、どんなものには使わない**

のかを明確にしておくと、より人生の充実度が上がると思います。

洋服やメイクなど、自分を装飾するためのものは最低限に抑えます。たとえば美容ならスキンケアにお金をかけるのではなく、食事や私生活を改善するほうが絶対に美しくなれますし、心も体も健やかに生活することができます。

それと同じようにプラスアルファの知識や教養に関しても、なるべく自分の知識として積み上がるものをチョイスして取り入れることが大事なのです。

日々をなんとなく過ごしていると、時間はあっという間に過ぎてしまうもの。「なんとなくSNSを見ていたら、思ったよりも時間が経っていた」なんて経験、よくあるのではないでしょうか。

もちろんそういう時間も必要かもしれませんが、知っていることを増やして、どんどん何かに挑戦していくことで、いつも謙虚でいられて、相手の良さや人の素晴らしさに、より感動できるようになります。そうした生き方がすごく大事だと思うのです。

これは投資や資産管理などの考え方とすごく近いと私は思っています。たとえばアーリーリタイアして充実した人生を送るためには、資産を作ることと同じくらい無駄遣いしないことが大切だといわれます。

結局良い生活をしていくためには自分の出費を減らし、私生活自体を改善し、無駄遣いをしない自分になることが大事なのです。時間もお金も一生身になるものに投資しましょう。

私は新しい知識と出会うために、「今年は○○を深める」と決めています。20代前半のときは海外に行ったり、ミュージカルをたくさん見たり、その年に何をたくさん体験するのかを決めて、予定を作っていました。

特にこれからの時代は、コロナ禍の影響もあり、いつ何時どんな状況になるのかわかりませんから、おうちで充実した時間を過ごせるものを中心に、世の中のタイミングと合わせて目標を選んでもいいかもしれませんね。

教養というものは、いろいろと学ぶことで少しずつ時代とリンクして理解できたり、関連する人や事柄を知ったりする楽しみがあります。**短期間ですべてを習得しようとせずに、人生を丸ごと使った長期的な勉強という意識で知識を増やしていくと楽しいですよ。**

教養がみなさんの人生の楽しさであり、知恵であり、支えになる。本書がそう感じてもらえるきっかけになる一冊であれば幸いです。

いい女.bot

いい女.bot（いいおんなぼっと）

作家。学業と並行して心理学の資格を取得し、ビジネス書作家の付き人として活動。そこで得た学びをもとに、2012年5月より「いい女になるための心に刺さる一言」をテーマにTwitter内で作家活動を開始。28万人のフォロワーに女性として賢く、深く、感動できる人生を歩むための言葉を発信し、話題に。10代から50代までの幅広い年齢層の女性から支持を受けている。

自身も女性として常に輝きつづけるために、海外旅行で本場の芸術に触れ、さまざまな習い事や体験を通して教養を深める日々を送っている。

10万部のベストセラーとなった『いい女.book』（ディスカヴァー・トゥエンティワン）をはじめ、著書多数。

色気は知性

2021年7月15日　初版印刷
2021年7月25日　初版発行

著　者　いい女.bot
発行人　植木宣隆
発行所　株式会社　サンマーク出版
東京都新宿区高田馬場2-16-11
（電）03-5272-3166
印　刷　共同印刷株式会社
製　本　株式会社村上製本所

ISBN978-4-7631-3904-7　C0095
ホームページ　https://www.sunmark.co.jp